Jutta Douvitsas-Gamst · Eleftherios Xanthos
Sigrid Xanthos-Kretzschmer

DAS DEUTSCHMOBIL

Deutsch als Fremdsprache für Kinder

Lehrbuch 1

Klett Edition Deutsch

Das Deutschmobil
Deutsch als Fremdsprache für Kinder
Ein Lehrwerk in drei Stufen

Lehrbuch 1
von Jutta Douvitsas-Gamst, Eleftherios Xanthos (Zeichnungen)
und Sigrid Xanthos-Kretzschmer

Beratung: Heinz Wilms
Lieder (Komposition/Bearbeitung): Jürgen Schöntges
Redaktion: Gernot Häublein

Die erste Lehrwerksstufe besteht aus:

Lehrbuch 1	ISBN 3-12-**675040**-0
Arbeitsbuch 1	ISBN 3-12-**675041**-9
Cassette 1	ISBN 3-12-**675043**-5
Lehrerhandbuch 1	ISBN 3-12-**675042**-7

1. Auflage   1 ⁹ ⁸ ⁷ ⁶ | 1997 96 95 94

Alle Drucke dieser Auflage können im Unterricht nebeneinander benutzt werden,
sie sind untereinander unverändert.
Die letzte Zahl bezeichnet das Jahr des Druckes.

Umschlag: Eleftherios Xanthos und Alfred Lahner
Druck: Schoder Druck GmbH & Co. KG, Gersthofen · Printed in Germany

ISBN 3-12-**675040**-0

Inhaltsverzeichnis

Themen, Texte, Situationen:
Besuch im Klassenzimmer, Kreisspiel, Hexentreffen, Sketch

Sprache:
Sich begrüßen, vorstellen, verabschieden; Namen und Befinden erfragen und mitteilen; verneinen, widersprechen

Grammatik:
Verben: Konjugation Präsens Indikativ von *sein*, 1. und 2. Person Sg.;
Personalpronomen: 1. und 2. Person Sg.;
Aussagesatz;
Wortfrage/Fragewörter: *wer?, wie?*

Themen, Texte, Situationen:
Klassenfoto, Spielen auf dem Spielplatz, Rätsel, Reime, Sportstunde, Tanzlied

Sprache:
Personen und Tätigkeiten benennen, erfragen, zuordnen; andere vorstellen; Auskunft über Vorlieben geben; bejahen, verneinen, widersprechen; nach Vorgabe reimen

Grammatik:
Personalpronomen: 1. bis 3. Person Sg.;
Verben: Konjugation Präsens Indikativ, 1. bis 3. Person Sg. von *sein* und Verben auf *-en*, *-rn*, *-ln*;
Verneinung mit *nicht*;
Kardinalzahlen: 0 – 12;
Satzfrage, Alternativfrage mit *oder*;
Wortfrage: *was?*

Themen, Texte, Situationen:
Familienstammbaum, Landkarte der Bundesrepublik Deutschland, Schülersteckbriefe, Wohnen (Kinderzimmer, Einrichtung), Streiten, Bilderbrief, Rätsel, Lied: „Wide-Wide-Wenne"

Sprache:
Verwandschaftsbezeichnungen nennen; Namen, Herkunft, Alter, Hobbys erfragen und angeben; Gegenstände identifizieren, benennen und beurteilen; Besitzansprüche äußern

Grammatik:
Verben: Konjugation Präsens Indikativ, 3. Person Pl.;
Personalpronomen: 3. Person Pl.;
Nomen: Artikel + Nomen (Nominativ Sg.);
Artikel (Nominativ Sg.): bestimmter Artikel *der/die/das*, unbestimmter Artikel *ein-*,
negativer Artikel *kein-*,
possessiver Artikel *mein-/dein-* (1. und 2. Person Sg.)
von: possessivisch;
Inversion;
Wortfrage: *wo?, wie?*

Themen, Texte, Situationen:
Schulsachen; Kinderpolonaise; an der Bushaltestelle; Lied: „Die Bremer Stadtmusikanten"; Wochentage, Wochenplan, Stundenplan, Unterrichtsfächer, Schulbücher; am Telefon; Hexeneinmaleins, Grundrechenarten

Sprache:
Schulsachen identifizieren, qualifizieren und vergleichen; Reihenfolge benennen; über einen Wochenplan berichten; Informationen richtigstellen; Stundenplan/Schulfächer erfragen und angeben; Vorlieben/Abneigungen äußern; Rechenaufgaben stellen; Telefonnummern erfragen und angeben

Grammatik:
Verben: Infinitiv;
Personalpronomen: 3. Person Sg. (*es*);
Komposita: Nomen + Nomen, Verb + Nomen;
Kardinalzahlen bis 1000;
Ordinalzahlen 1 – 12;
Zeitangaben mit *am* + Wochentag;
Inversion;
Wortfrage: *wann?*

Themen, Texte, Situationen:
Spielzeug, Geld, Verkaufsgespräch; Monate,
Jahreszeiten, Geburtstag, Einladung; Datum,
Uhrzeit, Tageszeiten; Tagesablauf einer Familie;
Spielen im Freien; Geschichte vom „Spielmobil",
Lied vom „Deutschmobil"

Sprache:
Spielzeug auswählen und beurteilen; Preis erfragen
und angeben; Gefallen ausdrücken; Monate,
Jahreszeiten, Geburtsdatum, Uhr- und Jahreszeiten
erfragen und angeben; Spielanweisungen befolgen;
Geschichten nacherzählen

Grammatik:
Verben: Konjugation Präsens Indikativ, 1. bis 3.
Person Pl.; Verben mit Vokalwechsel, trennbare
Verben, *sein, haben* als Hilfsverben; Modalverben
wollen, mögen (möcht-) als Vollverben;
Personalpronomen: 1. bis 3. Person Pl.;
Nomen: mit bestimmtem Artikel im Nominativ/Akku-
sativ Sg.;
bestimmter/unbestimmter Artikel: Akkusativ Sg.;
bestimmter Artikel als Demonstrativpronomen;
Zeitangaben mit *am* + Datum

Themen, Texte, Situationen:
Tierlexikon, Tierbeschreibung; Lied: „Was Tiere
können", Tiere in „Dixiland", Sachtext über Elefanten,
Tierfütterung im Zoo; Fotogeschichte „Im Zoo"

Sprache:
Rätsel stellen; Herkunft, Fähigkeiten, Eigenschaften
von Tieren angeben; graphische Tabellen
verbalisieren; Zeichnungen nach Texten beschriften;
nach Zeitplan Auskünfte geben; einem Text Aussagen
zuordnen

Grammatik:
Verben: Modalverb *können* (Konjugation Präsens
Indikativ, Infinitiv), Verben mit Vokalwechsel;
Nomen: Nominativ/Akkusativ Sg./Pl. von Maskulina
der *-(e)n*-Deklination;
Wortfrage: *woher?*

Themen, Texte, Situationen:
Zirkusprogramm; Europakarte/Tourneeplan;
Zeitungsankündigung und Telefonat darüber;
Zauberwagengeschichte; Zirkusnummern; Zauber-
tricks; der Wochenplan des Zoodirektors; Zeitungs-
interview und Besuch in der Zirkusschule; Zippo und
Zappo: Superclowns; Tierrekorde; bei Willi zu Hause;
Willi berichtet aus Seedorf

Sprache:
Stationen einer Reise angeben; Falschaussagen
richtigstellen; Bilder Textsequenzen zuordnen; nach
Schüttelkästen erzählen; Geschichte nach Wortleiste
fortsetzen; nach Notizen erzählen; auffordern;
Aussagen Texten inhaltlich zuordnen; Eigenschaften
und Fähigkeiten vergleichen

Grammatik:
Verben: Konjugation Präsens Indikativ, 3. Person Pl.
(*Sie*); Imperativ: 2. Person Sg./Pl., 3. Person Pl.; Kon-
jugation Präsens Indikativ der Modalverben *wollen*
und *sollen* + Infinitiv;
Adjektive: Komparation, Vergleichskonstruktionen;
Präpositionen mit Akkusativ: Richtungsangaben;
Wortfrage: *wohin?*

Alle Aufgaben im Lehrbuch, die mit dem Symbol der Lektion gekennzeichnet sind, werden im Arbeitsbuch durch Anschlußübungen mit derselben Nummer vertieft.
Den Anschlußübungen im Arbeitsbuch folgt zu jeder Lektion eine Wortliste mit einem Übungsteil, der sich nur auf den Wortschatz und den schriftlichen Ausdruck bezieht.

 Dieser Lehrbuchtext ist auf der Kassette.

 Hier kann ein zusätzlicher Hörtext von der Kassette eingesetzt werden.
Dazu gibt es Übungen im Anhang des Arbeitsbuches (AB), S. 104-110

A1 *Hallo!*

Wer bin ich?

Du bist Jochen.

Nein. Wer bin ich?

Du bist Maria.

Ja, ich bin Maria.

 ● **A3** *Hallo, wie geht's?*

Hallo, Hallo!

Guten Tag!

Wie geht's?

Danke, gut.

Wer bist du?

Ich? – Ich bin ich.

Nein, du bist du!

Nein, ich bin ich, und du bist du.

Ach, Quatsch! Tschüs!

Auf Wiedersehen!

0	null	7	sieben
1	eins	8	acht
2	zwei	9	neun
3	drei	10	zehn
4	vier	11	elf
5	fünf	12	zwölf
6	sechs		

A2 *Schau dir die Kinder auf dem Klassenfoto an. Ordne den Bildern dann die richtige Nummer zu.*

Martin springt

Andreas rennt

Karin malt

Ulla rutscht

Jutta schaukelt

Jörg rutscht

Peter ruft

Inge rennt

Jochen klettert

Gisela bastelt

Anna springt

Ralf baut

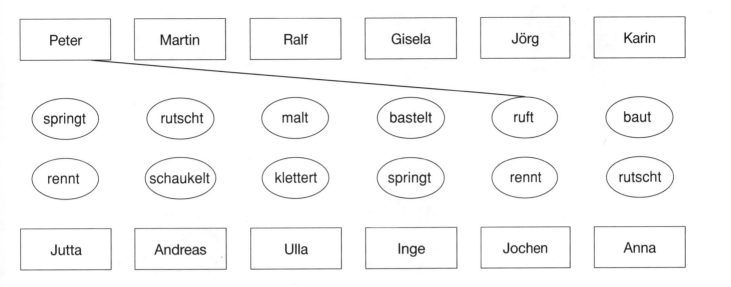

Peter	Martin	Ralf	Gisela	Jörg	Karin

springt   rutscht   malt   bastelt   ruft   baut

rennt   schaukelt   klettert   springt   rennt   rutscht

Jutta	Andreas	Ulla	Inge	Jochen	Anna

A4   **er** *oder* **sie**?

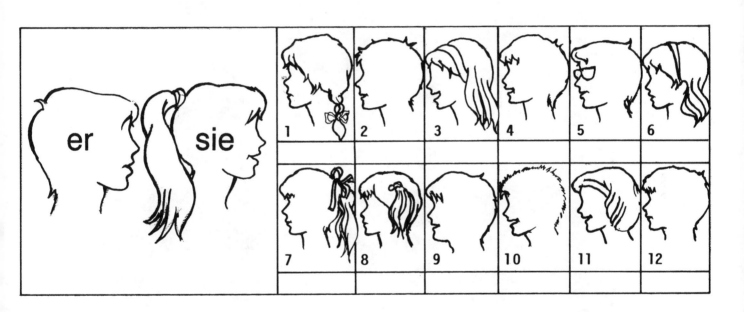

„er" oder „sie"? Kreuze an.

	er	sie
Anita		
Martin		
Ralf		
Inge		
Koko		
Dixi		

	er	sie
Gisela		
Ulla		
Werner		
Alfons		
Jochen		
Mausi		

	er	sie
Peter		
Jutta		
Karin		
Andreas		
Jörg		
Anna		

① Martin

② Karin

③ Jutta

④ Ralf

⑤ Andreas

⑥ Ulla

⑦ Inge

⑧ Jörg

⑨ Gisela

⑩ Jochen

⑪ Anna

⑫ Peter

① Das ist *Martin.*
Er springt.

② Das ist *Karin.*
Sie malt.

③ Das ... .
... .

④ ... .
... .

⑤ ... .
... .

⑥ ... .
... .

⑦ ... .
... .

⑧ ... .
... .

⑨ ... .
... .

⑩ ... .
... .

⑪ ... .
... .

⑫ ... .
... .

Willi Frosch   **Milli Frosch**

A6 › *Wir spielen: Merk dir ein Bild und laß die anderen raten. Fragt und antwortet wie im Beispiel.*

Was macht Willi Frosch?

Er malt.

Nein, falsch.
Was macht Milli Frosch?

Sie rutscht.

Ja, richtig.

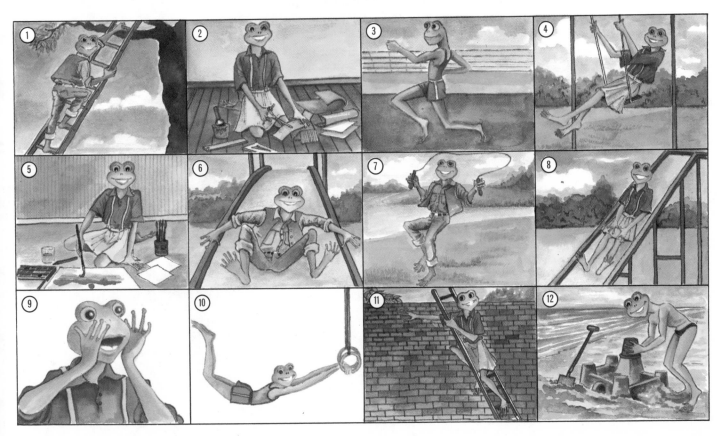

Also, ich springe gern.
Ich renne gern,
ich klettere gern,
ich rutsche gern,
und ich baue gern.

Und du?
Was machst du gern?
Malst du auch gern?
Bastelst du auch gern?
Schaukelst du auch gern?

Ich male gern.
Ich bastle gern,
und ich schaukle gern.

Und du?
Was machst du gern?
Springst du auch gern?
Rennst du auch gern?
Kletterst du auch gern?
Rutschst du auch gern?
Baust du auch gern?

*Ich und du, Müllers Kuh,
Müllers Esel, das bist du.*

○ **A8** > *Wir reimen*

Ele, mele, miege,
schau mal, ich fliege.
Ele, mele, miegst,
schau mal, du fliegst.
Ele, mele, miegt,
schau mal, er fliegt.
Ele, mele, miegt,
schau mal, sie fliegt.

Ele, mele, mettere,
schau mal, ich klettere.
Ele, mele, metterst,
schau mal, du kletterst.
Ele, mele, mettert,
schau mal, er klettert.
Ele, mele mettert,
schau mal, sie klettert.

Reime weiter mit:

Ele, mele, mastle,
schau mal, ich bastle.
…

Ele, mele, menne,
schau mal, ich renne.
…

Ele, mele, maukle,
schau mal, ich schaukle.
…

Ele, mele, mutsche,
schau mal, ich rutsche.
…

Ele, mele, maue,
schau mal, ich baue.
…

> Willi!
> Rennst du oder springst du?

> Ich springe nicht.
> Ich renne.

> Willi!
> Kletterst du oder rutschst du?

> Ich rutsche nicht.
> Ich klettere.

> Willi!
> Schaukelst du oder fliegst du?

> Ich fliege nicht.
> Ich schaukle.

> Willi!
> Springst du oder rennst du?

> Ich renne nicht.
> Ich springe.

○ **A10** *Fragt euch untereinander.*
Bildet Fragen und Antworten mit dem Schüttelkasten.

Springst				Ja,		springe		
Rutschst				Nein,	ich	rutsche		
Rennst						renne		
Kletterst	du	gern?	◆↔◆			klettere	nicht	gern.
Bastelst						bastle		
Malst						male		
Baust						baue		
Schaukelst						schaukle		

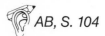 *AB, S. 104*

Tanzlied

Melodie: J. Schöntges

1. E - le, me - le, man - ze, schau mal wie ich tan - ze. E - le, me - le, manzt, schau mal wie du tanzt.

E - le, me - le, manzt, schau mal, wie er tanzt. E - le, me - le, manzt, schau mal, wie sie tanzt.

2. Gu-ten Tag! Gu-ten Tag! Hal - lo, wie geht's? Gu-ten Tag! Gu-ten Tag! Hal - lo wie geht's?

Dan - ke, pri - ma, gut. Dan - ke, pri - ma, gut. Dan - ke, pri - ma, gut. Tschüs! Auf Wie-der-sehn!

| ich | 1. Person Singular |

| du | 2. Person Singular |

| er sie | 3. Person Singular |

B2 Verben: Konjugation Präsens

1. Pers. Sg.	ich bin	ich male	ich klettere	ich bastle	ich schaukle	ich rufe
2. Pers. Sg.	du bist	du malst	du kletterst	du bastelst	du schaukelst	du rufst
3. Pers. Sg.	er ist sie ist	er malt sie malt	er klettert sie klettert	er bastelt sie bastelt	er schaukelt sie schaukelt	er ruft sie ruft
1. Pers. Pl.						
2. Pers. Pl.						
3. Pers. Pl.						

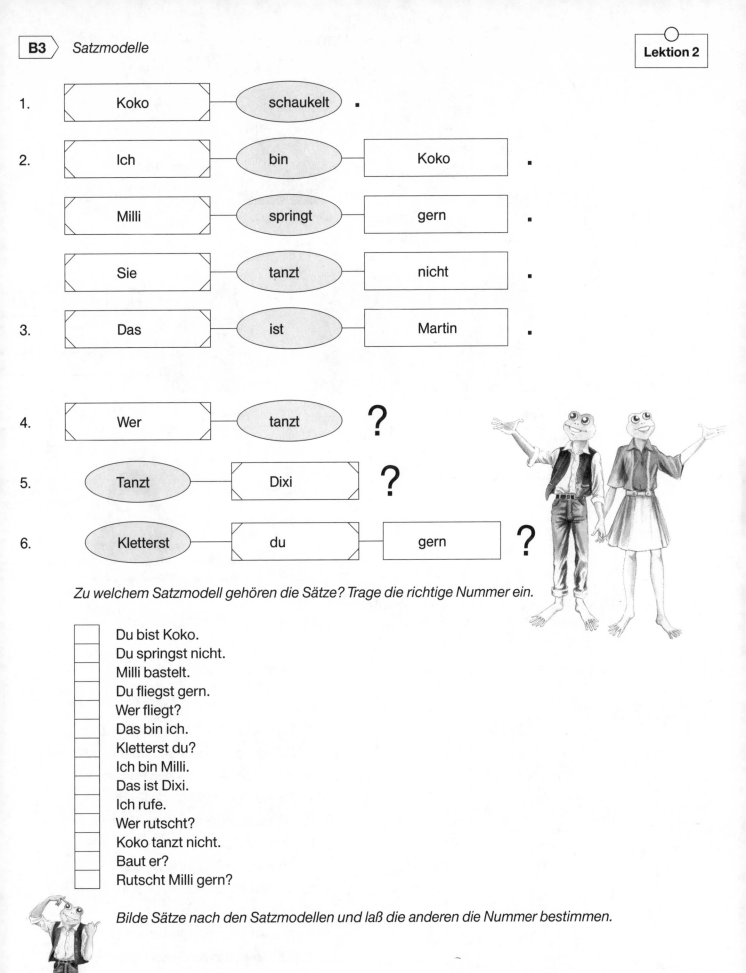

1. Koko schaukelt .

2. Ich bin Koko .

   Milli springt gern .

   Sie tanzt nicht .

3. Das ist Martin .

4. Wer tanzt ?

5. Tanzt Dixi ?

6. Kletterst du gern ?

Zu welchem Satzmodell gehören die Sätze? Trage die richtige Nummer ein.

- Du bist Koko.
- Du springst nicht.
- Milli bastelt.
- Du fliegst gern.
- Wer fliegt?
- Das bin ich.
- Kletterst du?
- Ich bin Milli.
- Das ist Dixi.
- Ich rufe.
- Wer rutscht?
- Koko tanzt nicht.
- Baut er?
- Rutscht Milli gern?

Bilde Sätze nach den Satzmodellen und laß die anderen die Nummer bestimmen.

Die Familie Müller

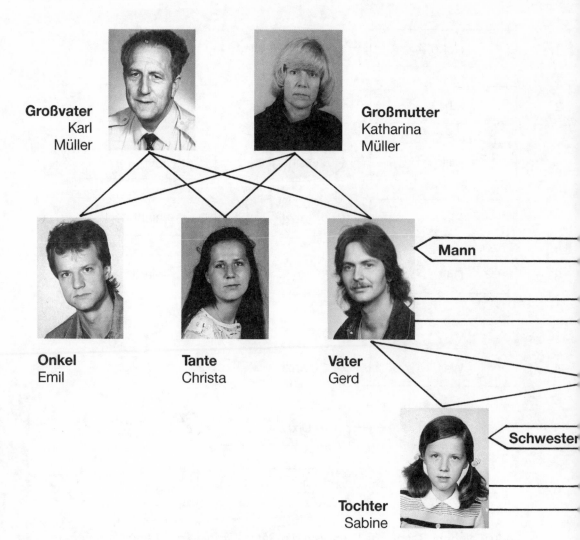

Großvater
Karl
Müller

Großmutter
Katharina
Müller

Onkel
Emil

Tante
Christa

Vater
Gerd

Mann

Schwester

Tochter
Sabine

A1 ▷ *Male die Namen der weiblichen Familienmitglieder rot*
und die Namen der männlichen Familienmitglieder blau an.

A2 ▷ *Kreuze den richtigen Artikel an.*

■ **A3** ▷ *Kreuze an, was richtig ist.*

der	die	das	
			Großvater
			Mutter
			Sohn
			Mann
			Tochter
			Vater
			Frau
			Kind
			Familie
			Bruder
			Tante
			Schwester
			Onkel
			Großmutter

1. Karl ist der Großvater von Gerd.
2. Katharina ist die Großmutter von Sabine.
3. Rudolf ist der Vater von Rainer.
4. Leni ist die Tochter von Emma.
5. Michael ist der Sohn von Rudolf.
6. Irene ist die Schwester von Rainer.
7. Emil ist der Bruder von Irene.
8. Christa ist die Tante von Karl.
9. Emil ist der Onkel von Michael.
10. Katharina ist die Mutter von Christa.
11. Rainer ist das Kind von Katharina.
12. Irene ist die Frau von Gerd.
13. Rainer ist der Mann von Leni.
14. Emma ist die Frau von Rudolf.

Die Familie Schmidt

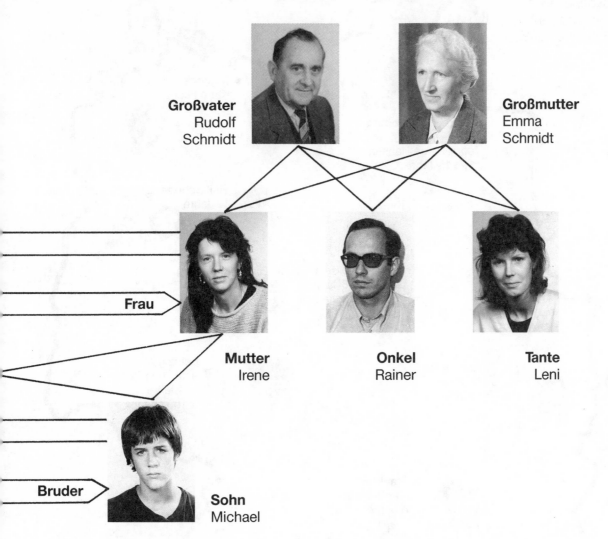

Großvater
Rudolf
Schmidt

Großmutter
Emma
Schmidt

Frau

Mutter
Irene

Onkel
Rainer

Tante
Leni

Bruder

Sohn
Michael

A4 › *Wer ist „er"? Wer ist „sie"? Suche im Familienstammbaum.*

Von Urgroßvater und Urgroßmutter
ist der Großvater das Kind.

Von Großvater und Großmutter
ist der Vater das Kind.

Von Mutter und Vater
ist **er** das Kind.

Von Urgroßvater und Urgroßmutter
ist die Großmutter das Kind.

Von Großvater und Großmutter
ist die Mutter das Kind.

Von Mutter und Vater
ist **sie** das Kind.

Wie heißen sie?
Wo wohnen sie?
Wie alt sind sie?
Was machen sie gern?

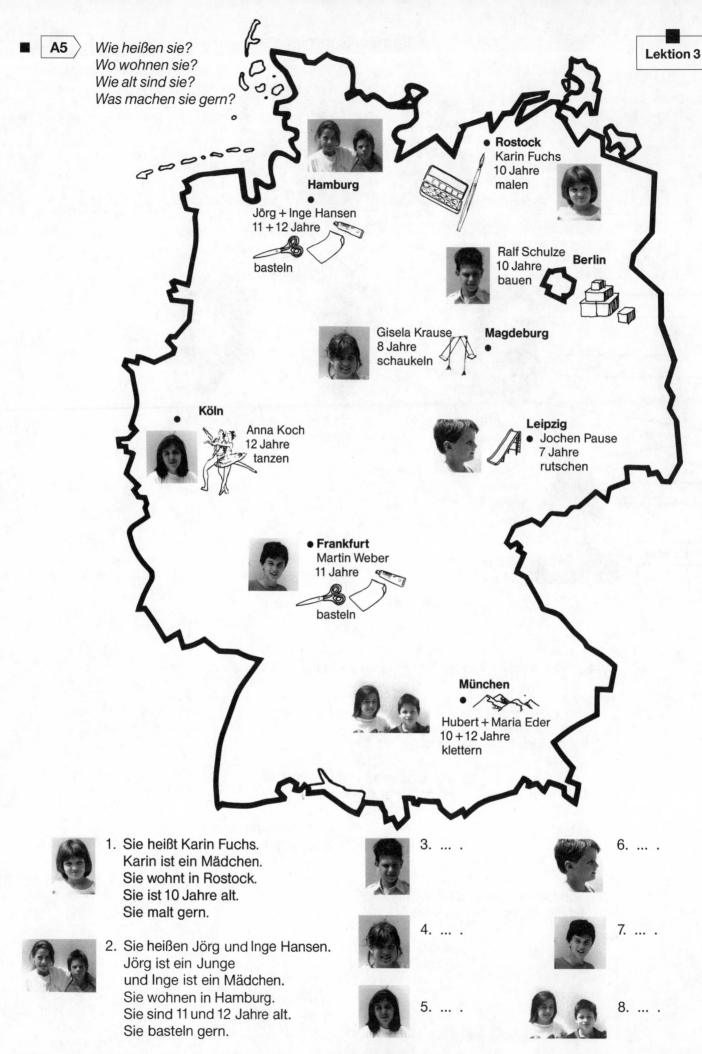

Hamburg

Rostock
Karin Fuchs
10 Jahre
malen

Jörg + Inge Hansen
11 + 12 Jahre

basteln

Ralf Schulze
10 Jahre
bauen

Berlin

Gisela Krause
8 Jahre
schaukeln

Magdeburg

Köln

Anna Koch
12 Jahre
tanzen

Leipzig
Jochen Pause
7 Jahre
rutschen

● **Frankfurt**
Martin Weber
11 Jahre

basteln

München

Hubert + Maria Eder
10 + 12 Jahre
klettern

1. Sie heißt Karin Fuchs.
   Karin ist ein Mädchen.
   Sie wohnt in Rostock.
   Sie ist 10 Jahre alt.
   Sie malt gern.

2. Sie heißen Jörg und Inge Hansen.
   Jörg ist ein Junge
   und Inge ist ein Mädchen.
   Sie wohnen in Hamburg.
   Sie sind 11 und 12 Jahre alt.
   Sie basteln gern.

3. ... .

4. ... .

5. ... .

6. ... .

7. ... .

8. ... .

A6 *Was gehört zusammen? Trage unten ein.*

1. Wer wohnt in Magdeburg?
2. Wo wohnt Karin Fuchs?
3. Wo wohnen Jörg und Inge Hansen?
4. Wie heißt das Kind Nummer 7?
5. Wie alt ist Jochen Pause?
6. Wie alt sind Hubert und Maria Eder?
7. Was macht Gisela Krause gern?
8. Was machen Jörg und Inge Hansen gern?

a) Sie wohnen in Hamburg.
b) Martin Weber.
c) Sie sind 10 und 12 Jahre alt.
d) Sie wohnt in Rostock.
e) Gisela Krause.
f) Sie schaukelt gern.
g) Sie basteln gern.
h) Er ist 7 Jahre alt.

Frage	1	2	3	4	5	6	7	8
Antwort								

A7 *Schaut auf die Karte und fragt euch untereinander.*

Wide-Wide-Wenne

Melodie: traditionell   Bearbeitung: J. Schöntges

1. Wi - de-Wi-de - Wen - ne   heißt
mei - ne Put - hen - ne.
Si - gis - mund   heißt mein Hund.
En - gel - bert   heißt mein Pferd.
Wi - de-Wi - de - Wen - ne   heißt
mei - ne Put - hen - ne.

2. Wide-Wide-Wenne
   heißt meine Puthenne.

   Nikolaus heißt meine Maus.
   Peterlein heißt mein Schwein.

   Wide-Wide-Wenne
   heißt meine Puthenne.

Familie Frosch wohnt in Froschdorf.

Das ist das Haus von Familie Frosch.

Hier ist das Zimmer
von Willi Frosch:

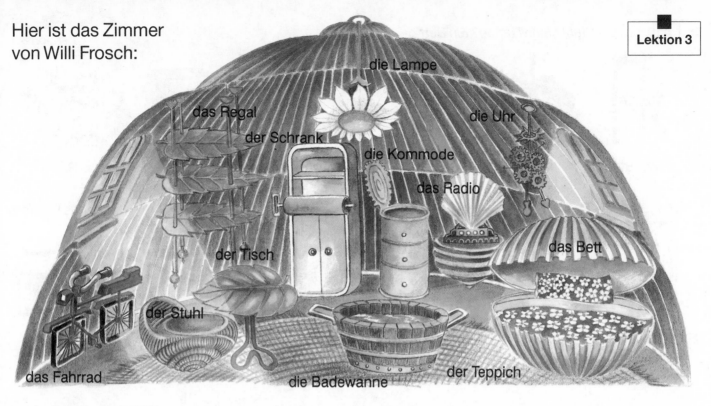

die Lampe

das Regal

der Schrank

die Uhr

die Kommode

das Radio

der Tisch

das Bett

der Stuhl

das Fahrrad

die Badewanne

der Teppich

A8 *Beschreibe: Da ist der ... / die ... / das ... von Willi.*

Willi:	Ist	**der** Tisch nicht toll?
Dixi:	Das ist	**ein** Tisch? Quatsch!
	Das ist doch	**kein** Tisch.
	Hier ist	**ein** Tisch.
Willi:	Ist	**die** Lampe nicht phantastisch?
Dixi:	Das ist	**eine** Lampe? Quatsch!
	Das ist doch	**keine** Lampe.
	Hier ist	**eine** Lampe.
Willi:	Ist	**das** Regal nicht prima?
Dixi:	Das ist	**ein** Regal? Quatsch!
	Das ist doch	**kein** Regal.
	Hier ist	**ein** Regal.

A9 *Setzt den Dialog von Willi und Dixi fort mit:*

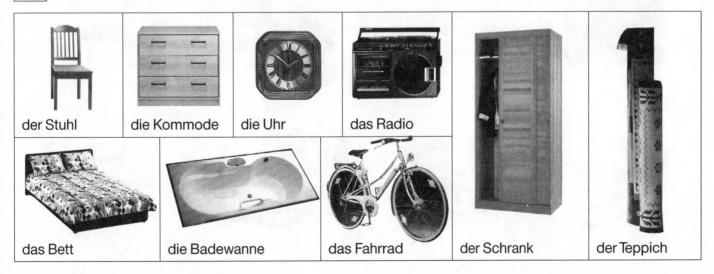

der Stuhl	die Kommode	die Uhr	das Radio		
das Bett	die Badewanne	das Fahrrad	der Schrank	der Teppich

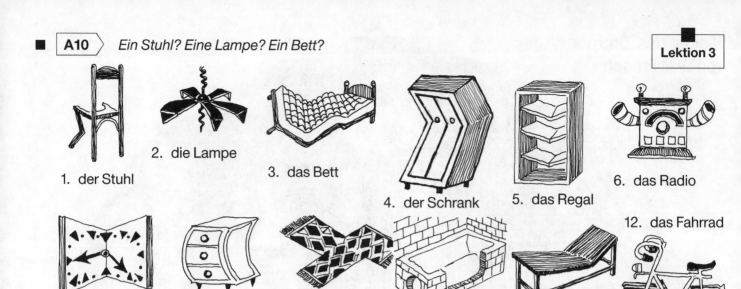

1. der Stuhl
2. die Lampe
3. das Bett
4. der Schrank
5. das Regal
6. das Radio
7. die Uhr
8. die Kommode
9. der Teppich
10. die Badewanne
11. der Tisch
12. das Fahrrad

1. Ein Stuhl?
   Nein, kein Stuhl.

2. Eine Lampe?
   Nein, keine Lampe.

3. Ein Bett?
   Nein, kein Bett.

4. ... ?
   ... .

A11 > *Male zuerst bei jedem Bild das Artikelkästchen in der richtigen Farbe an:*
der = blau, die = rot, das = grün. Merke dir dann ein Bild und laß die anderen raten.

👄 Ist es die Uhr?
👄 Nein, es ist nicht die Uhr.
👄 Ist es das Bett?
👄 Ja, es ist das Bett.

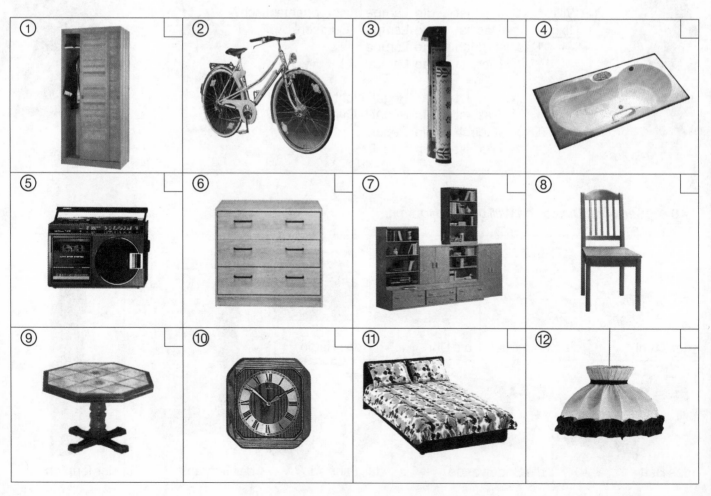

> Die Badewanne bleibt hier!
> Das ist **meine** Badewanne!
> Das ist nicht **deine** Badewanne!

A12 „mein" – „dein": Du bist Willi. Was sagst du zu Milli?

| die Lampe – das Bett – der Tisch – das Regal – die Kommode – der Schrank |
| die Uhr – der Teppich – der Stuhl – das Radio – das Fahrrad |

■ **A13** Hier ist ein Brief. Von wem ist er? Kannst du den Brief lesen?

Hallo,

wie geht's? Ich bin 🐸. Hier ist mein 🐚.

Da wohnt meine 👪. Sie heißt **Frosch**.

Frosch, das sind mein 🐸 und meine 🐸

mein 🐸 und meine 🐸, meine 🐸 und ich.

Also, das sind 6. Hier ist mein 🏠.

Mein 🏠 ist toll. Mein 🥄 ist phantastisch!

Er schaukelt. Meine 🐸 und ich schaukeln gern.

Ich 🪜 und 🐸 auch gern. Und Du? Was machst

Du gern? Wo wohnst Du? Wie heißt Deine Familie?

Viele Grüße
Dein 🐸

Schreibe den Brief jetzt in dein Heft.

AB, S. 104

27

B1 *Verben: Konjugation Präsens*

Infinitiv	sein	heißen	wohnen	machen	! bastel**n**	! kletter**n**
1. Pers. Sg.	ich **bin**	ich heiß**e**	ich wohn**e**	ich mach**e**	ich bastel**e**	ich kletter**e**
2. Pers. Sg.	du **bist**	du hei**ß**t	du wohn**st**	du mach**st**	du bastel**st**	du kletter**st**
3. Pers. Sg.	er **ist**	er heiß**t**	er wohn**t**	er mach**t**	er bastel**t**	er kletter**t**
	sie **ist**	sie heiß**t**	sie wohn**t**	sie mach**t**	sie bastel**t**	sie kletter**t**
1. Pers. Pl.						
2. Pers. Pl.						
3. Pers. Pl.	sie **sind**	sie heiß**en**	sie wohn**en**	sie mach**en**	sie bastel**n**	sie kletter**n**

B2 *Nomen: Artikel + Nomen (Nominativ Singular)*

Artikel (Nom. Sg.)	maskulin	feminin	neutral
bestimmter Artikel	der Tisch	die Lampe	das Regal
unbestimmter Artikel	ein Tisch	ein**e** Lampe	ein Regal
negativer Artikel	kein Tisch	kein**e** Lampe	kein Regal
possessiver Artikel	mein Tisch	mein**e** Lampe	mein Regal
	dein Tisch	dein**e** Lampe	dein Regal

Reime wie im Beispiel: der Tisch (der Stuhl)

Der Tisch ist **ein** Tisch,
der Stuhl ist **kein** Tisch,
mein Tisch ist nicht **dein** Tisch.

1. die Lampe (die Kommode)
2. das Radio (das Fahrrad)
3. der Schrank (der Teppich)
4. die Uhr (die Badewanne)
5. das Bett (das Regal)
6. der Stuhl (der Tisch)

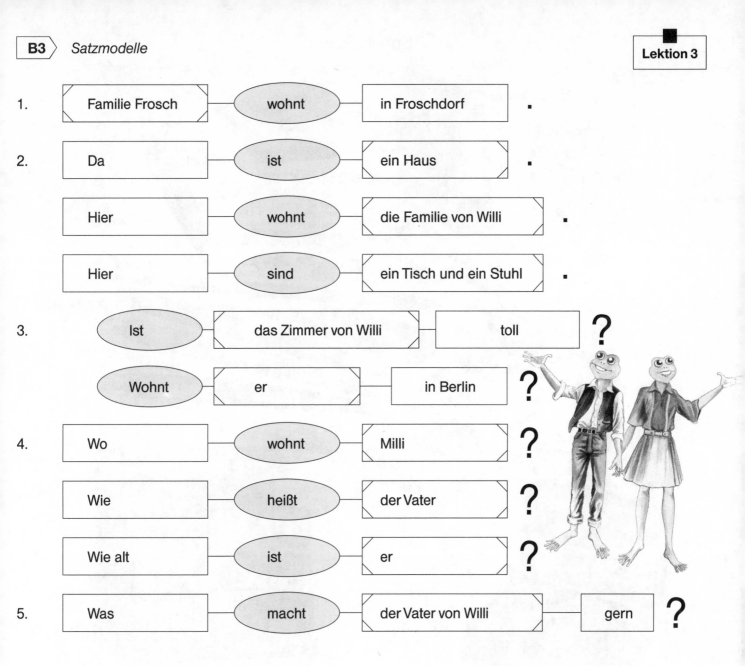

1. | Familie Frosch | — wohnt — | in Froschdorf | .

2. | Da | — ist — | ein Haus | .

| Hier | — wohnt — | die Familie von Willi | .

| Hier | — sind — | ein Tisch und ein Stuhl | .

3. | Ist — | das Zimmer von Willi | — | toll | ?

| Wohnt — | er | — | in Berlin | ?

4. | Wo | — wohnt — | Milli | ?

| Wie | — heißt — | der Vater | ?

| Wie alt | — ist — | er | ?

5. | Was | — macht — | der Vater von Willi | — | gern | ?

Zu welchem Satzmodell gehören die Sätze?
Trage die richtigen Nummern ein.

	Wie alt sind Peter und Inge?
	Da sind Vater und Mutter.
	Wohnen Sie in München?
	Wie heißt die Tochter?
	Peter wohnt in Hamburg.
	Was basteln Willi und Milli gern?
	Wo ist das Fahrrad?
	Hier tanzen Koko und Dixi.
	Willi, Milli und Dixi sind hier.
	Was malst du gern?
	Da wohnt Familie Frosch.
	Tanzt Milli gern?

Schulsachen

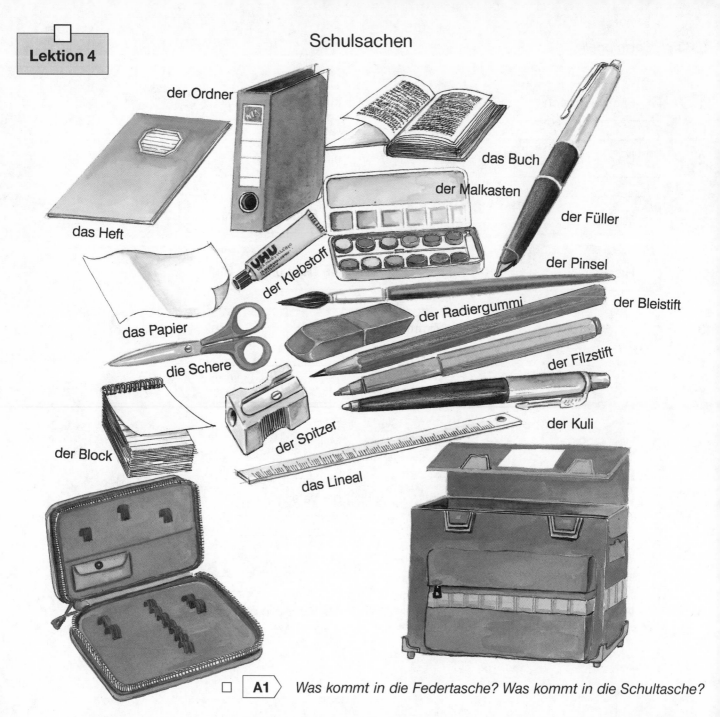

der Ordner

das Buch

der Malkasten

der Füller

das Heft

der Klebstoff

der Pinsel

das Papier

der Radiergummi

der Bleistift

die Schere

der Filzstift

der Block

der Spitzer

der Kuli

das Lineal

☐ **A1** *Was kommt in die Federtasche? Was kommt in die Schultasche?*

Der Füller kommt in die Federtasche.   Das Buch kommt in die Schultasche.
...   ...

Wir spielen

<u>*Was ist unter dem Tuch?*</u>

👄 *Was ist unter dem Tuch?*
👄 *Ein Block?*
👄 *Nein, falsch.*
👄 *Eine Schere?*
👄 *Ja, richtig.*

<u>*Merk dir eine Sache und laß die anderen raten.*</u>

👄 Ist es eine Schere?
👄 Nein, es ist keine Schere.
👄 Ist es ein Füller?
👄 Ja, es ist ein Füller.

<u>*Schulsachen suchen*</u>

Einer geht raus. Ihr versteckt eine Sache. Der Schüler kommt wieder rein und muß suchen. Ihr helft Ihm dabei und ruft immer wieder den Namen der Sache: *laut*, wenn er sich dem Versteck nähert; *leise*, wenn er sich entfernt.

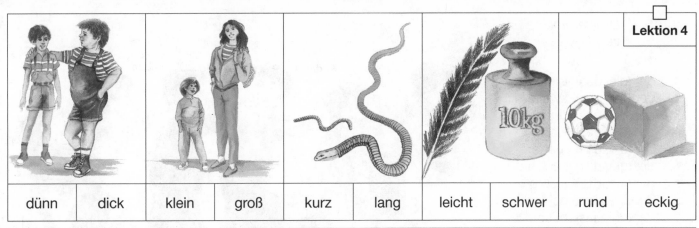

| dünn | dick | klein | groß | kurz | lang | leicht | schwer | rund | eckig |

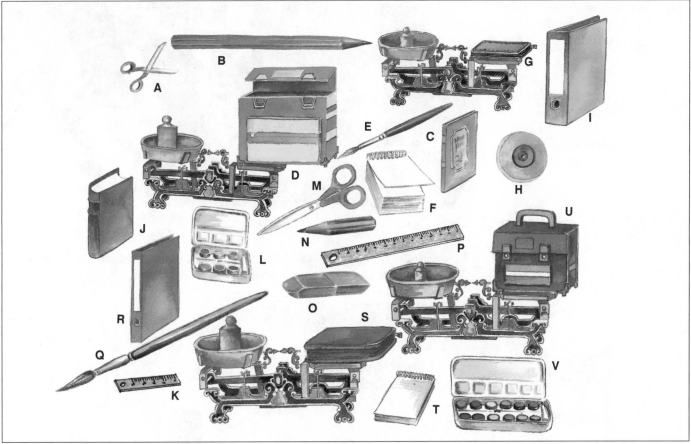

☐ **A2** ⟩ *Wie sind die Schulsachen?*   **A** ist eine Schere. Sie ist klein.
B ist ein Bleistift. Er ist lang.
C ist ein Buch. Es ist dünn.
...

A3 ⟩ *Stellt die Schulsachen zu Paaren zusammen und füllt die Tabelle aus.*
Vergleicht dann die beiden Dinge.

A	B	C	D	E	F	G	H	I	K	L

1. Die Schere **A** ist klein, aber die Schere **M** ist groß.
2. ...

A4 ⟩ *Fragt euch untereinander wie im Beispiel:*

👄 Ist die Schere **A** groß?   👄 Nein, sie ist nicht groß, sondern klein.

31

A5 — Ordinalzahlen von 1 – 12

1. der (die, das) erste
2. der (die, das) zweite
3. der (die, das) dritte
4. der (die, das) vierte
5. der (die, das) fünfte
6. der (die, das) sechste
7. der (die, das) siebte
8. der (die, das) achte
9. der (die, das) neunte
10. der (die, das) zehnte
11. der (die, das) elfte
12. der (die, das) zwölfte

A6 — *Gib die Reihenfolge der Kinder an.*

1. Jochen ist der erste.
2. Jutta ist die zweite.
3. ...

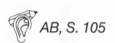 *AB, S. 105*

A7 — *Gib die Reihenfolge der Leute an der Bushaltestelle an. Verwende dabei auch die Adjektive:*

dick – dünn – klein – groß

1. Herr Meier ist der erste. Er ist dick.
2. ...

Herr Meier   Lisa   Frau Schön   Karl   Herr Stein   Uwe   Lotta   Fräulein Maus

Die Bremer Stadtmusikanten

Jeder singt so gut er kann

Melodie: J. Schöntges

1. Je-der singt so gut er kann, gut er kann, gut er kann,

und jetzt kommt der er-ste dran, der er-ste kommt jetzt dran:

i - a, i - a, der er-ste kommt jetzt dran, i - a,

i - a, i - a, der er - ste kommt jetzt dran.

2. Jeder singt so gut er kann,
und jetzt kommt der zweite dran: wauwau, wauwau.

3. Jeder singt so gut er kann,
und jetzt kommt der dritte dran: miau, miau.

4. Jeder singt so gut er kann,
und jetzt kommt der vierte dran: kikeriki, kikeriki.

5. Jeder singt so gut er kann,
und jetzt kommen alle dran: ia, wauwau,
alle kommen dran, au-wau, miau, kikeriki.
Jetzt waren alle dran.

33

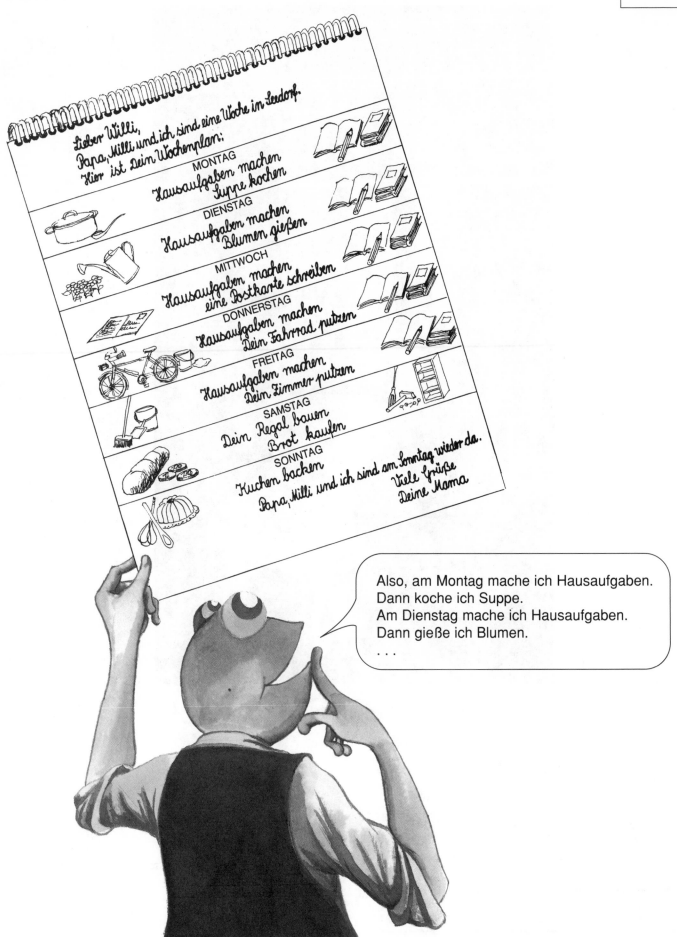

A8 › *Du bist Willi. Erzähle weiter.*

Blumen kochen   das Zimmer gießen   eine Postkarte kaufen   ein Fahrrad kaufen

Blumen putzen   ein Bett bauen   Brot backen

*Wann macht Willi
Hausaufgaben?*

Immer nur Hausaufgaben machen?

Melodie: J. Schöntges

Mon - tag   ist der   er - ste   Tag.

Haus-auf - ga-ben   ma-chen   Haus-auf - ga-ben   ma-chen.

Uff!

Dienstag ist der zweite Tag.
Hausaufgaben machen, Hausaufgaben machen.

Uff, uff!

Mittwoch ist der dritte Tag.
Hausaufgaben machen, Hausaufgaben machen.

Donnerstag ist der vierte Tag.
Hausaufgaben machen, Hausaufgaben machen.

Uff, uff, uff!

Freitag ist der fünfte Tag.
Hausaufgaben machen, Hausaufgaben machen.

Samstag ist der sechste Tag.
Hausaufgaben machen. Hausaufgaben machen?
Mach kein' Quatsch, da spielen wir doch!

Sonntag ist der siebte Tag.
Hausaufgaben machen. Hausaufgaben machen?
Mach kein' Quatsch, sonntags nie!

Der Stundenplan von Klasse 5a

Stunde	Montag	Dienstag	Mittwoch	Donnerstag	Freitag	Samstag
1.	Deutsch	Religion	Deutsch	Deutsch	Mathematik	
2.	Englisch	Mathematik	Deutsch	Mathematik	Deutsch	
3.	Mathematik	Deutsch	Biologie	Erdkunde	Musik	
4.	Kunst	Englisch	Mathematik	Englisch	Englisch	
5.	Kunst	Biologie	Englisch	Biologie	Geschichte	
6.	Erdkunde	Musik	Sport	Sport	Religion	

A11 | *Schau auf den Stundenplan und antworte wie im Beispiel. An welchem Tag hat die 5a diese Fächer?*

1. Wann hat die 5a Deutsch, Kunst und Englisch? –
   Am Montag hat sie Deutsch, Kunst und Englisch.
2. Wann hat die 5a Englisch, Religion und Musik?
3. Wann hat die 5a Deutsch, Mathematik und Geschichte?
4. Wann hat die 5a Deutsch, Sport und Erdkunde?
5. Wann hat die 5a Deutsch, Mathematik und Biologie?

A12 | *Fragt euch untereinander nach dem Stundenplan und antwortet mit Hilfe der Schüttelkasten.*

| Wann | hast | du | Deutsch?
Englisch?
Mathematik?
Religion?
Erdkunde?
Biologie?
Geschichte?
Musik?
Sport?
Kunst? | ↔ | Deutsch
Englisch
Mathematik
Religion
Erdkunde
Biologie
Geschichte
Musik
Sport
Kunst | habe | ich | am Montag.
am Dienstag.
am Mittwoch.
am Donnerstag.
am Freitag.
am Samstag.
am Sonntag. |

Fach	Deutsch	Englisch	Mathematik	Religion	Erdkunde	Biologie	Geschichte	Musik	Sport	Kunst
Nummer										

☐ **A14** | 1. *Welche Bücher braucht die 5a?* | 2. *Welche Sachen braucht die 5a*
Bilde zusammengesetzte Nomen | *für Kunst und Sport?*
mit dem Wortstern:

Geschichts-

Biologie-

Deutsch-

Mathematik- — **das Buch** — Erdkunde-

Englisch-

Musik-

Religions-

das Geschichtsbuch, das . . .

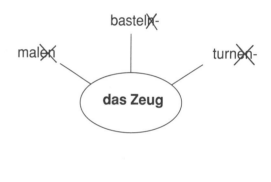

basteln-

malen

turnen-

das Zeug

das Malzeug, das . . .

A15 | *Kreuze an, was die Schüler der 5a an jedem Wochentag brauchen. Vergleiche mit dem Stundenplan.*

	Montag	Dienstag	Mittwoch	Donnerstag	Freitag
1. das Mathematikbuch					
2. das Deutschbuch					
3. das Englischbuch					
4. das Erdkundebuch					
5. das Biologiebuch					
6. das Geschichtsbuch					
7. das Musikbuch					
8. das Religionsbuch					
9. das Malzeug					
10. das Turnzeug					

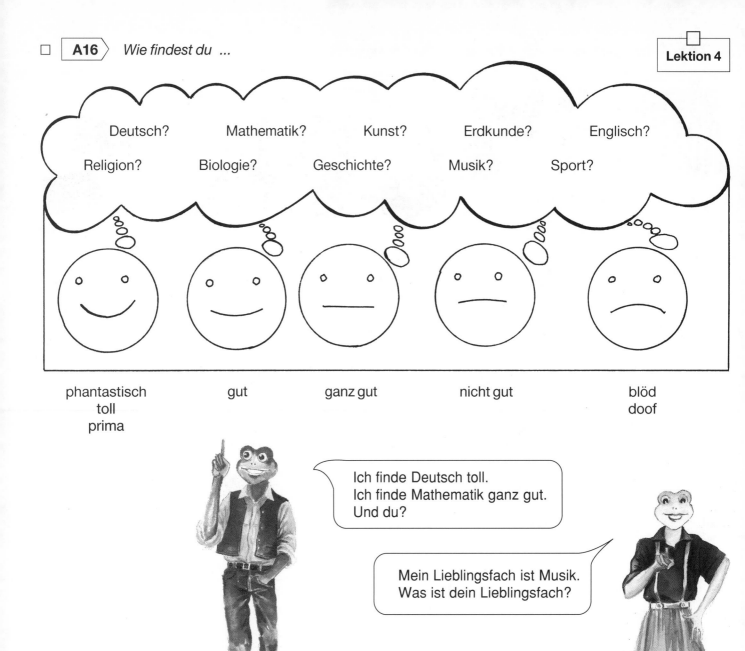

Deutsch?   Mathematik?   Kunst?   Erdkunde?   Englisch?

Religion?   Biologie?   Geschichte?   Musik?   Sport?

phantastisch toll prima	gut	ganz gut	nicht gut	blöd doof

Ich finde Deutsch toll.
Ich finde Mathematik ganz gut.
Und du?

Mein Lieblingsfach ist Musik.
Was ist dein Lieblingsfach?

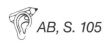 *AB, S. 105*

☐ **A17** *Kardinalzahlen von 11 bis 1000*

11 elf	21 einundzwanzig	31 einunddreißig	101 hunderteins
12 zwölf	22 zweiundzwanzig	32 zweiunddreißig	...
13 dreizehn	23 dreiundzwanzig	...	200 zweihundert
14 vierzehn	24 vierundzwanzig	40 vierzig	...
15 fünfzehn	25 fünfundzwanzig	50 fünfzig	...
16 sechzehn	26 sechsundzwanzig	60 sechzig	600 sechshundert
17 siebzehn	27 siebenundzwanzig	70 siebzig	700 siebenhundert
18 achtzehn	28 achtundzwanzig	80 achtzig	...
19 neunzehn	29 neunundzwanzig	90 neunzig	...
20 zwanzig	30 dreißig	100 hundert	1000 tausend

Schmitz.

Hier ist Dixi.
Ist da nicht 27 35 78?

Nein, falsch verbunden.
Hier ist 27 35 87.

A18 *Macht weiter mit:*

Meier	Müller	Schulz	Hinkel	Berger	Krause	Peters	Wurm	Grau
95 21 64	45 82 31	77 23 14	69 57 92	11 86 63	34 17 56	21 44 17	59 67 79	38 12 53
95 21 46	45 82 13	77 23 41	69 57 29	11 86 36	34 17 65	21 44 71	59 67 97	38 12 35

Peter Meier.

Hallo, Monika!

Ja, gern.
Im Deutschbuch, Seite 12, Übung 3.

Auf Wiederhören.

Guten Tag, Peter.
Hier ist Monika.

Sagst du mir mal
die Hausaufgaben für Deutsch?

Danke, Peter. Tschüs!

 A19 *Spielt das Telefongespräch weiter und nennt eure Namen:*

– Hausaufgaben für Erdkunde: im Erdkundebuch, S. 76, Ü 16
– Hausaufgaben für Mathematik: im Mathematikbuch, S. 97, Ü 15/17/18
– Hausaufgaben für Geschichte: im Geschichtsbuch, S. 103, Ü 27

Wir spielen

Zahlenstaffel

Die Klasse wird in 2 (3) Gruppen eingeteilt und die Reihenfolge der Schüler in der Gruppe festgelegt. Jede Gruppe bekommt andersfarbige Kreide. Der Lehrer schreibt eine beliebige Anzahl von Zahlen an die Tafel. Jedesmal, wenn der Lehrer eine dieser Zahlen nennt, versuchen die Schüler, die an der Reihe sind, die Zahl zu finden und einzukreisen.

Zahlen raten

Die Schüler raten nacheinander aus einem vorher festgelegten Zahlenraum die gesuchte Zahl. Wer die Zahl errät, übernimmt die Rolle des Spielleiters.

Streichhölzer schätzen

Eine halbvolle Streichholzschachtel geht im Kreis herum, darf geschüttelt, aber nicht geöffnet werden. Die Schüler schätzen dabei die Anzahl der Streichhölzer.

Ausmessen

Die Schüler raten Länge, Breite und Höhe von Gegenständen aus dem Klassenraum. Die Vermutungen werden an der Tafel festgehalten. Mit einem Metermaß wird festgestellt, wer die Maße getroffen oder am nächsten geschätzt hat.

A20 Hier ist Dixis Hexen-Einmaleins.
Verbinde die Rechenaufgaben mit dem passenden Reim.

 Lektion 4

Einmal eins ist eins,
das ist das Hexen-Einmaleins.

$$100 : 5 = 20$$

Drei plus drei ist sechs,
so rechnet eine Hex'.

$$5 \cdot 6 = 30$$

Zehn minus zwei ist acht,
eine Hexe zaubert und lacht.

$$1 \cdot 1 = 1$$

Hundert durch fünf ist zwanzig,
Abrakadabra – jetzt tanz' ich.

$$3 + 3 = 6$$

Fünf mal sechs ist dreißig,
Hexe Dixi heiß' ich.

$$10 - 2 = 8$$

☐ **A21** Wir rechnen.

Mache Rechenaufgaben nach der Tabelle.

	plus	minus	mal	durch	ist
1.	11	5			16
2.	21		4		17
3.	70			10	700
4.	27			9	3
5.	19	7			26
6.	82		12		70
7.	100			8	800
8.	1000			20	50

1. Elf plus fünf ist sechzehn.
2. ...

Rechne die Aufgaben nach der Tabelle.

	plus	minus	mal	durch	ist
1.	26	?			31
2.	60			?	10
3.	12		?		72
4.	101	?			94
5.	13		?		39
6.	84	?			100
7.	56			?	8
8.	75	?			50
9.	42	?			60
10.	250			?	1000
11.	90	?			41

1. Sechsundzwanzig plus fünf ist einunddreißig.
2. ...

Infinitiv	sein	haben	schreiben	kaufen	! finden	! gießen	putzen
1. Pers. Sg.	ich **bin**	ich habe	ich schreibe	ich kaufe	ich find**e**	ich gieß**e**	ich putze
2. Pers. Sg.	du **bist**	du **hast**	du schreib**st**	du kauf**st**	du find**est**	du gie<u>ß</u>t	du put<u>z</u>t
3. Pers. Sg.	er **ist** sie **ist** es **ist**	er **hat** sie **hat** es **hat**	er schreibt sie schreibt es schreibt	er kauft sie kauft es kauft	er find**et** sie find**et** es find**et**	er gießt sie gießt es gießt	er putzt sie putzt es putzt
1. Pers. Pl.							
2. Pers. Pl.							
3. Pers. Pl.	sie **sind**	sie hab**en**	sie schreib**en**	sie kauf**en**	sie find**en**	sie gieß**en**	sie putz**en**

B2 Satzmodelle

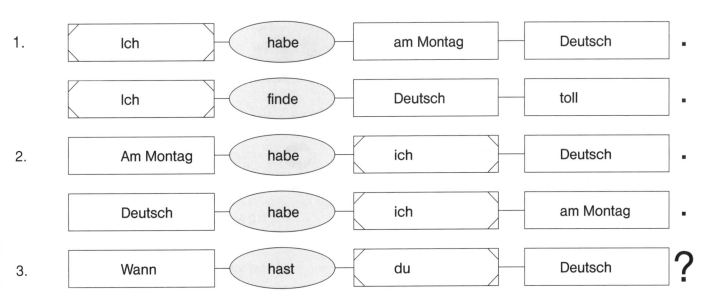

1. Ich — habe — am Montag — Deutsch .

   Ich — finde — Deutsch — toll .

2. Am Montag — habe — ich — Deutsch .

   Deutsch — habe — ich — am Montag .

3. Wann — hast — du — Deutsch ?

Zu welchem Satzmodell gehören die Sätze?
Trage die richtige Nummer ein.

	Jetzt hat er Mathematik.
	Er findet Geschichte prima.
	Wie findest du Biologie?
	Biologie finde ich ganz gut.
	Am Sonntag backe ich Kuchen.
	Ich finde Kuchen toll.
	Wann machst du Hausaufgaben?
	Ich mache jetzt Hausaufgaben.
	Dann putze ich mein Fahrrad.
	Wann putzt du dein Zimmer?

Spielzeug

der Herd DM 36,–

das Puppenhaus DM 141,70

die Burg DM 89,–

der Roboter DM 8,25

die Puppe DM 27,30

der Fußball DM 12,80

das Raumschiff DM 7,60

der Teddy DM 15,–

das Flugzeug DM 45,–

das Spiel DM 19,95

das Schiff DM 17,45

das Auto DM 0,90

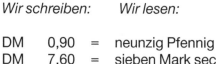

der Werkzeugkasten DM 66,50

die Eisenbahn DM 55,–

Wir schreiben: *Wir lesen:*

  A2 *Wir spielen:*

DM	0,90	=	neunzig Pfennig
DM	7,60	=	sieben Mark sechzig
DM	8,25	=	acht Mark fünfundzwanzig
DM	12,80	=	zwölf Mark achtzig
DM	15,00	=	fünfzehn Mark
DM	17,45	=	siebzehn Mark fünfundvierzig
DM	19,95	=	neunzehn Mark fünfundneunzig
DM	27,30	=	siebenundzwanzig Mark dreißig
DM	36,00	=	sechsunddreißig Mark
DM	45,00	=	fünfundvierzig Mark
DM	55,00	=	fünfundfünfzig Mark
DM	66,50	=	sechsundsechzig Mark fünfzig
DM	89,00	=	neunundachtzig Mark
DM	141,70	=	hunderteinundvierzig Mark siebzig

> Was kostet der Fußball?
> Ich möchte den Fußball.

> 12 Mark 80 kostet der Fußball.
> Nimmst du den Fußball?

> Na klar, ich nehme den Fußball.

> Was kostet die Puppe?
> Ich möchte die Puppe.

> 27 Mark 30 kostet die Puppe.
> Nimmst du die Puppe?

> Na klar, ich nehme die Puppe.

> Was kostet das Auto?
> Ich möchte das Auto.

▲ **A1** *Fragt euch untereinander:*

Was kostet neunzig Pfennig?
Was kostet acht Mark fünfundzwanzig?
Was kostet hunderteinundvierzig Mark siebzig?
...

> 90 Pfennig kostet das Auto.
> Nimmst du das Auto?

> Na klar, ich nehme das Auto.

▲ **A3** *Schau dir nochmal das Spielzeug an, überlege und antworte:*
Du hast 5 Mark (10 Mark, 20 Mark, 50 Mark, 100 Mark, 150 Mark). Was kaufst du?

Ich kaufe den	Ich kaufe die	Ich kaufe das ... .
Er kostet	Sie kostet	Es kostet ... .

A4 *Schau dir die Sonderangebote an. Wähle von jedem eins aus und sage, wie du es findest.*

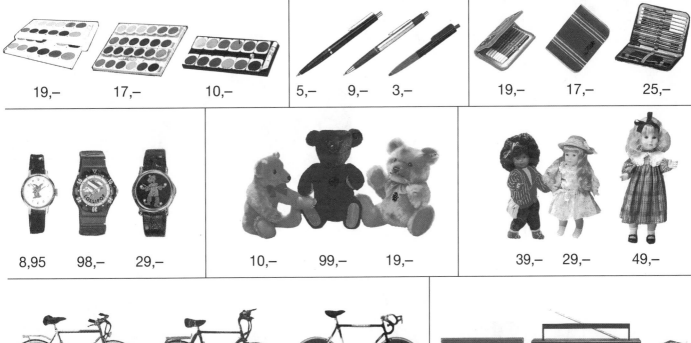

19,– 17,– 10,–   5,– 9,– 3,–   19,– 17,– 25,–

8,95 98,– 29,–   10,– 99,– 19,–   39,– 29,– 49,–

279,–   299,–   459,–   159,– 249,– 98,–

| ich | möchte will kaufe nehme | den die das | Uhr Radio Lampe Malkasten Federtasche Fahrrad Puppe Teddy Kuli | für . . . Mark.

 nicht. | → | Den Die Das | finde ich | phantastisch. toll. prima. gut. sehr teuer. sehr billig. nicht gut. blöd. doof. |

 A5 *Macht Dialoge wie im Beispiel:* | die Puppe: DM 36,50 (DM 50,00) |

Ich nehme die Puppe.
Hier sind fünfzig Mark.

Die Puppe kostet sechsunddreißig Mark fünfzig.
Hier hast du dreizehn Mark fünfzig zurück.

1. das Auto: DM 7,30 (DM 10,00)
2. die Schere: DM 4,25 (DM 5,00)
3. der Block: DM 3,10 (DM 5,00)
4. die Uhr: DM 8,95 (DM 20,00)
5. der Ball: DM 15,50 (DM 20,00)

6. der Malkasten: DM 12,90 (DM 15,00)
7. das Buch: DM 18,90 (DM 20,00)
8. das Lineal: DM 2,25 (DM 5,00)
9. der Klebstoff: DM 4,95 (DM 10,00)
10. der Füller: DM 7,85 (DM 20,00)

AB, S. 106

Der Kalender von Willi

Januar: Willi baut den Schneemann.

Februar: Willi feiert Karneval.

März: Willi pflanzt Blumen.

April: Willi feiert Ostern.

Mai: Willi pflückt Blumen.

Juni: Willi kauft Eis.

Juli: Willi schwimmt.

August: Willi hat Ferien.

September: Die Schule beginnt.

Oktober: Willi baut den Drachen.

November: Willi feiert Geburtstag.

Dezember: Willi feiert Weihnachten.

▲ **A6** *Was macht Willi von Januar bis Dezember? Erzähle.*

Willi	baut	im Januar	den Schneemann

Im Januar	baut	Willi	den Schneemann

Den Schneemann	baut	Willi	im Januar

...   .

44

Das Lied von den Jahreszeiten

Melodie: J. Schöntges

De - zem - ber, Ja - nu - ar, Fe - bru - ar, da kommt der Win - ter. Ist das klar? Im

März, A - pril und Mai, da kommt der Früh - ling. Eins, zwei, drei! Im

Ju - ni, Ju - li, Au - gust, da kommt der Som - mer. Hast du's ge - wußt? Sep-

tem - ber, Ok - to - ber, No - vem - ber, dann ist der Herbst bis De...

▲ A7

Wie geht das Lied weiter?

45

A8 > *Wann haben sie Geburtstag?*

Verbinde Monat und Namen:

Susi	Januar
Markus	Februar
Birgit	März
Anni	Mai
Peter	August
Helga	Oktober
Klaus	November
Jörg	Dezember

A9 > *Wer hat wann Geburtstag? Nenne das Datum.*

1. Ralf Schulze, 1. 5.   = Ralf hat am ersten Mai Geburtstag.
2. Gisela Krause, 17. 1.   = Gisela hat am siebzehnten Januar Geburtstag.
3. Jörg und Inge Hansen, 3. 3. = Jörg und Inge haben am dritten März Geburtstag.
4. Karin Fuchs, 30. 7.   = Karin hat am dreißigsten Juli Geburtstag.
5. Anna Koch, 20. 11.   = ...
6. Martin Weber, 16. 10.   = ...
7. Jochen Pause, 25. 8.   = ...
8. Hubert Eder, 31. 12.   = ...
9. Maria Eder, 21. 9.   = ...
10. Susi Werner, 13. 2.   = ...

A10 > *Trage die Geburtstage der Kinder in die Tabelle ein.*

	Ralf	Gisela	Jörg	Inge	Karin	Anna	Martin	Jochen	Hubert	Maria	Susi
Januar											
Februar											
März											
April											
Mai	1.										
Juni											
Juli											
August											
September											
Oktober											
November											
Dezember											

▲ A11 *Schaut in Willis Geburtstagskalender und fragt euch untereinander.*

	Januar	Februar	März	April	Mai	Juni	Juli	August	September	Oktober	November	Dezember
1				Koko								
2												
3				Mama								
4												
5												
6												
7	Tim											
8												
9												
10												
11										ICH		
12												
13			Tante									
14												
15												
16												
17		Papa										
18								Dixi				
19												
20												
21											Opa	
22												
23												
24							Onkel					
25												
26												
27						Milli						
28									Oma			
29												
30												
31							Tom					

Wann hat die Mutter
von Willi Geburtstag?

...

Wer hat am ersten April
Geburtstag?

...

Wer hat am ersten vierten
Geburtstag?

...

Wann hast du Geburtstag?

Ich habe ... ... Geburtstag.
Mein Geburtstag ist ... ...

Die Uhrzeit

Wie spät ist es?

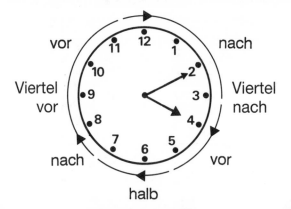

vor — nach
Viertel vor — Viertel nach
nach — vor
halb

Es ist ein Uhr. Es ist eins.

Es ist zwei Uhr. Es ist zwei.

Es ist halb drei.

Es ist Viertel vor vier.

Es ist Viertel nach vier.

Es ist zwanzig vor sieben.

Es ist zwanzig nach sieben.

Es ist zehn vor acht.

Es ist zehn nach acht.

Es ist fünf vor halb elf.

Es ist fünf nach halb elf.

▲ **A12** Wie spät ist es? Rechne die Aufgaben mit der Uhrzeit wie in den Beispielen und zeichne ein.

1. Ein Uhr plus eine Stunde ist   zwei Uhr plus eine Stunde ist   drei Uhr.

2. Halb eins plus eine Stunde ist   halb zwei plus eine Stunde ist   halb drei.

3. Viertel vor sechs plus eine Stunde ist ...

48

4. Viertel nach zwei plus eine Stunde ist ...

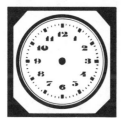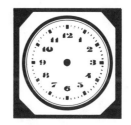

5. Zehn vor neun plus eine Stunde ist ...

6. Zehn nach neun plus eine Stunde ist ...

7. Fünf vor halb drei plus eine Stunde ist ...

8. Fünf nach halb drei plus eine Stunde ist ...

9. Zwanzig vor zwölf plus eine Stunde ist ...

10. Zwanzig nach zwölf plus eine Stunde ist ...

Vater
Herr Berger

Mutter
Frau Berger

Tochter
Sabine

Sohn
Wolfgang

stehen auf

frühstücken

duscht

macht Frühstück

arbeiten

hat Deutsch

hat Erdkunde

gehen in die Schule

gehen ins Büro

macht Essen

macht Pause

kauft ein

kommt zurück

ruft Inge an

macht Pause

machen Hausaufgaben

geht weg

gehen ins Bett

liest   schläft

geht ins Bett

sehen fern

räumt auf

Was machen Herr Berger, Frau Berger, Sabine und Wolfgang ...

um halb sieben – um sieben – um halb acht – um elf Uhr –
um halb zwei – um halb fünf – um halb neun – um zehn Uhr

?

Wann machen sie was? Fragt euch untereinander nach den Beispielen in den Satzmodellen.

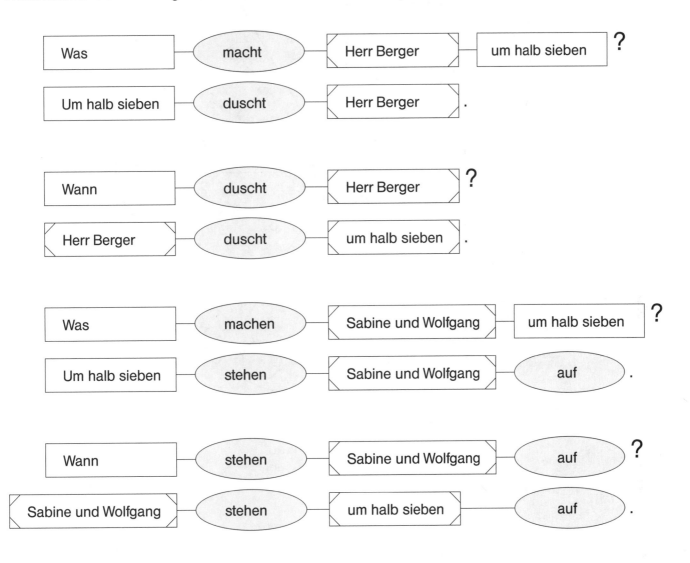

A14	Wann machen sie das? Kreuze an und erzähle.								
1. Herr Berger räumt auf.									
2. Wolfgang hat Erdkunde.									
3. Alle frühstücken.									
4. Sabine ruft Inge an.									
5. Wolfgang schläft.									
6. Herr Berger duscht.									
7. Frau Berger kauft ein.									
8. Frau Berger sieht fern.									
9. Wolfgang geht weg.									
10. Sabine steht auf.									
11. Herr Berger geht ins Büro.									
12. Sabine macht Hausaufgaben.									

A15 Was macht Sabine am Sonntag? Wann macht Sabine was?
Nenne die Tageszeit und die Tätigkeit.

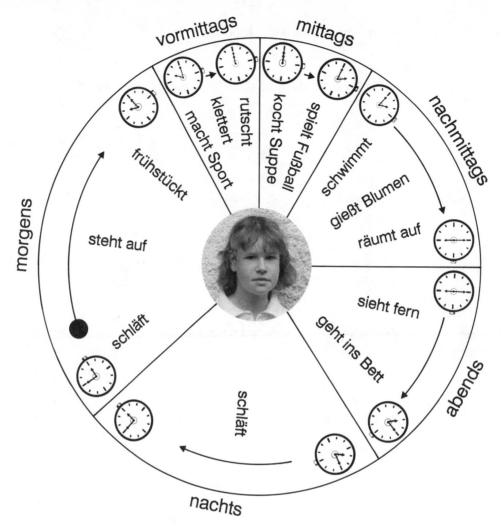

Sabine   steht morgens auf.
Morgens steht Sabine   auf.
...

AB, S. 106

A16 Einladung

Einladung   Berlin, den 27. Mai

Liebe/r _Jochen_,

ich habe am _Samstag_, den _3. Juni_, Geburtstag und mache
eine Party. Die Party beginnt um _4 Uhr_ nachmittags.
Wir tanzen, wir spielen und machen Quatsch.
Es gibt _Kuchen, Torte, Limo und Eis._

Ist das nicht toll? Kommst Du auch?

Viele Grüße
Dein/e   _Brigitte_

Brigitte Schulz feiert Geburtstag

▲ **A17** *Was paßt dazu? Sucht im Bild und lest.*

Hallo!	. . . .
Guten Tag, Frau Schulz.	. . . .
. . . .	Den finde ich prima.
. . . .	Nein, ich will Eis.
Wann essen wir?	. . . .
. . . .	Nein. Der ist ja toll! Danke.
Was spielen wir dann?	. . . .

Wir spielen „Herr Fischer":

Herr Fischer, Herr Fischer, wie tief ist das Wasser?

Drei Meter!

Wie kommen wir rüber?

Ihr rennt!

Ein Kind ist der Fischer. Der Fluß ist die Trennungslinie. Die Kinder versuchen in der Bewegungsart, die der Fischer vorschreibt, über den Fluß zu kommen, ohne daß der Fischer sie fängt.
Wer gefangen wird, ist Fischer.

Das sagt der Fischer auch: Ihr schwimmt. Ihr tanzt.
Ihr klettert. Ihr fliegt.
Ihr springt. Ihr geht.

A19 *Sucht zu Mutters Fragen die richtigen Antworten und tragt unten die passenden Buchstaben ein.*

1. Wie findet ihr die Torte?
2. Habt ihr den Ball?
3. Wann spielt ihr "Herr Fischer"?
4. Wann seid ihr zurück?
5. Was macht ihr abends?
6. Tanzt ihr auch?
7. Wann räumt ihr auf?
8. Wann geht ihr weg?

a) Na klar tanzen wir!
b) Wir sehen fern.
c) Die finden wir toll.
d) Um halb neun gehen wir weg.
e) Das spielen wir jetzt.
f) Ja, den haben wir.
g) Wir sind um sechs zurück.
h) Das machen wir nicht. Das macht Oma.

Frage	1	2	3	4	5	6	7	8
Antwort								

Lest nun den Text als Dialog.

🎙 Das Spielmobil

Sabine sagt: „Ich habe eine Idee. Wir bauen ein Spielmobil."
„Oh ja, wir nehmen den Tisch. Dann haben wir ein Rutsch-
Mobil", sagt Wolfgang. „Oh toll, ich nehme den Stuhl.
Dann haben wir ein Rutsch-Kletter-Mobil", sagt Peter.
„Nehmen wir auch den Teppich?" fragt Susi. „Na klar",
antwortet Sabine. „Oh prima, dann haben wir ein Rutsch-
Kletter-Schaukel-Mobil", sagt Wolfgang, „wir nehmen auch
das Bett." Karin sagt: „Dann haben wir ein Rutsch-Kletter-
Schaukel-Spring-Mobil!" „Ich habe noch eine Idee. Wir
bauen ein Rutsch-Kletter-Schaukel-Spring-Gieß-Mobil",
sagt Sabine, „nehmt ihr mal die Gießkanne?"
Da kommen Mutter und Oma.
Sie lachen und sie fragen: Was macht *ihr* denn da?

(Nach dem Text „Die Geschichte von der Dreh-Hops-Wipp-Tute-Maschine"
von Ursula Wölfel)

A20 *Erklärt Mutter und Oma das Spielmobil*
und schreibt die Geschichte ins Heft.

Zuerst nehmen die Kinder den Tisch und
rutschen. Sie haben ein Rutsch-Mobil.
Dann nehmen sie ...
Jetzt ... Danach ... Zuletzt ...

Das Lied vom Deutschmobil

1. Dixi, Koko und auch Milli,
   Alfons, Mausi, den Frosch Willi

   finde ich im Deutschmobil,
   findest du im Deutschmobil,
   finde ich im Deutschmobil,
   lerne Deutsch mit Spaß und Spiel,
   findest du im Deutschmobil und lernst prima Deutsch.

2. Lernst du Deutsch und backst gern Kuchen?
   Mußt du Willi Frosch besuchen!

   Nimm dazu das Deutschmobil,
   nimm dazu das Deutschmobil,
   nimm dazu das Deutschmobil,
   lerne Deutsch mit Spaß und Spiel,
   nimm dazu das Deutschmobil, lerne prima Deutsch.

3. Lernst du Deutsch und machst gern Spiele?
   Geh zu Milli, die kennt viele.

   Nimm dazu das Deutschmobil,
   ...

4. Lernst du Deutsch und hörst gern Lieder?
   Dixi singt sie immer wieder.

   Nimm dazu das Deutschmobil,
   ...

Melodie: J. Schöntges

1. Di-xi, Ko-ko und auch Mil-li, Al-fons, Mau-si, den Frosch Wil-li fin-de

ich im Deutsch-mo - bil, fin-dest du im Deutsch-mo-bil,

fin - de ich im Deutsch-mo - bil, ler-ne Deutsch mit Spaß und Spiel,

fin - dest du im Deutsch-mo-bil und lernst pri-ma Deutsch.

ich   1. Person Singular

du   2. Person Singular

er
sie   3. Person Singular
es

wir   1. Person Plural

ihr   2. Person Plural

sie   3. Person Plural

Infinitiv	sein	haben	wollen	(möcht-)
1. Pers. Sg.	ich **bin**	hab**e**	will	möcht**e**
2. Pers. Sg.	du **bist**	**hast**	will**st**	möcht**est**
3. Pers. Sg.	er **ist** sie **ist** es **ist**	**hat** **hat** **hat**	will will will	möcht**e** möcht**e** möcht**e**
1. Pers. Pl.	wir **sind**	hab**en**	woll**en**	möcht**en**
2. Pers. Pl.	ihr **seid**	hab**t**	woll**t**	möcht**et**
3. Pers. Pl.	sie **sind**	hab**en**	woll**en**	möcht**en**

Infinitiv	! nehmen	! essen	! lesen	! schlafen
1. Pers. Sg.	ich nehm**e**	ess**e**	les**e**	schlaf**e**
2. Pers. Sg.	du n**imm**st	i**ß**t	l**ie**st	schl**ä**f**st**
3. Pers. Sg.	er n**imm**t sie n**imm**t es n**imm**t	i**ß**t i**ß**t i**ß**t	l**ie**st l**ie**st l**ie**st	schl**ä**ft schl**ä**ft schl**ä**ft
1. Pers. Pl.	wir nehm**en**	ess**en**	les**en**	schlaf**en**
2. Pers. Pl.	ihr nehm**t**	e**ß**t	les**t**	schlaf**t**
3. Pers. Pl.	sie nehm**en**	ess**en**	les**en**	schlaf**en**

Trennbare Verben: Konjugation Präsens

Infinitiv	aufstehen	zurückkommen	einkaufen	anrufen
1. Pers. Sg.	ich steh**e** auf	komm**e** zurück	kauf**e** ein	ruf**e** an
2. Pers. Sg.	du steh**st** auf	komm**st** zurück	kauf**st** ein	ruf**st** an
3. Pers. Sg.	er steh**t** auf sie steh**t** auf es steh**t** auf	komm**t** zurück komm**t** zurück komm**t** zurück	kauf**t** ein kauf**t** ein kauf**t** ein	ruf**t** an ruf**t** an ruf**t** an
1. Pers. Pl.	wir steh**en** auf	komm**en** zurück	kauf**en** ein	ruf**en** an
2. Pers. Pl.	ihr steh**t** auf	komm**t** zurück	kauf**t** ein	ruf**t** an
3. Pers. Pl.	sie steh**en** auf	komm**en** zurück	kauf**en** ein	ruf**en** an

Infinitiv	weggehen	fernsehen	aufräumen
1. Pers. Sg.	ich geh**e** weg	seh**e** fern	räum**e** auf
2. Pers. Sg.	du geh**st** weg	s**ie**h**st** fern	räum**st** auf
3. Pers. Sg.	er geh**t** weg sie geh**t** weg es geh**t** weg	s**ie**ht fern s**ie**ht fern s**ie**ht fern	räum**t** auf räum**t** auf räum**t** auf
1. Pers. Pl.	wir geh**en** weg	seh**en** fern	räum**en** auf
2. Pers. Pl.	ihr geh**t** weg	seh**t** fern	räum**t** auf
3. Pers. Pl.	sie geh**en** weg	seh**en** fern	räum**en** auf

	maskulin	feminin	neutral
Nominativ Sg.	der Ball	die Puppe	das Auto
Akkusativ Sg.	**den** Ball	die Puppe	das Auto

Zwicke, zweg,
der Ball ist weg.
Zwicke, zwier,
der ist nicht hier.
Zwicke, zwu,
den Ball hast du.
Zwicke, zwich,
den brauche ich.

Zwicke, zweg,
die Puppe ist weg.
Zwicke, zwier,
die ist nicht hier.
Zwicke, zwu,
die Puppe hast du.
Zwicke, zwich,
die brauche ich.

Zwicke, zweg
das Auto ist weg.
Zwicke, zwier,
das ist nicht hier.
Zwicke, zwu,
das Auto hast du.
Zwicke, zwich,
das brauche ich.

Reime mit anderen Nomen weiter.

B4 *Satzmodelle*

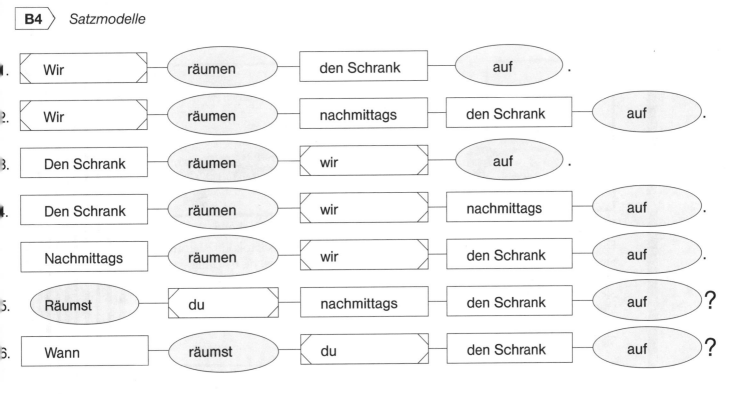

1. Wir — räumen — den Schrank — auf .
2. Wir — räumen — nachmittags — den Schrank — auf .
3. Den Schrank — räumen — wir — auf .
4. Den Schrank — räumen — wir — nachmittags — auf .
5. Nachmittags — räumen — wir — den Schrank — auf .
6. Räumst — du — nachmittags — den Schrank — auf ?
7. Wann — räumst — du — den Schrank — auf ?

Zu welchem Satzmodell gehören die Sätze?
Trage die richtige Nummer ein.

	Ich sehe abends fern.
	Um 7 Uhr stehen wir auf.
	Ich komme nachmittags zurück.
	Rufst du Inge am Sonntag an?
	Morgens kaufen wir Brot ein.
	Wann gehst du morgens weg?
	Er ruft Oma am Samstag an.
	Kuchen kauft ihr nachmittags ein.
	Wann stehst du am Sonntag auf?
	Ihr räumt jetzt das Zimmer auf.
	Kommt ihr am Mittwoch aus Berlin zurück?
	Jetzt gehen wir weg.

Das Nashorn

Das Nashorn ist grau.
Es ist bis 3000 kg schwer.
Es ist gefährlich.
Es kann schnell laufen.
Es frißt Pflanzen.

Die Schlange

Die Schlange ist grau und
weiß. Sie ist bis 6 m lang.
Sie ist gefährlich.
Sie kann kriechen und
sie kann schwimmen.
Sie frißt Fleisch.

Der Affe

Der Affe ist braun oder
schwarz. Er ist bis 2 m
groß. Er kann laufen und
er kann klettern.
Er frißt Pflanzen und auch
Fleisch.

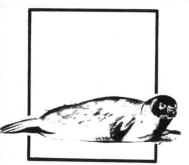

Die Robbe

Die Robbe ist grau.
Sie ist bis 5 m lang
und bis 800 kg schwer.
Sie kann schwimmen.
Sie kann tauchen und
sie kann robben.
Sie frißt Fisch.

Der Tiger

Der Tiger ist orange und
schwarz. Er ist bis 3 m
lang. Er ist gefährlich.
Er kann auch klettern und
er kann auch springen.
Er frißt Fleisch.

Das Krokodil

Das Krokodil ist grün.
Es ist bis 6 m lang.
Es ist gefährlich. Es kann
laufen. Es kann schwimmen
und es kann tauchen.
Es frißt Fleisch.

Der Elefant

Der Elefant ist grau.
Er ist bis 6000 kg schwer.
Er kann schnell laufen.
Er frißt Pflanzen.

Das Zebra

Das Zebra ist schwarz und
weiß. Es ist bis 250 kg
schwer. Es kann schnell
laufen. Es frißt Pflanzen.

Der Papagei

Der Papagei ist blau, rot
und gelb. Er ist bis 80 cm
groß. Er kann fliegen und
er kann klettern.
Er frißt Pflanzen.

A1 ▷ *Male die Tiere in der richtigen Farbe an.*

A2 *Beantworte Willis Fragen.*

Das Tier ist grau. Was ist das?
Das Tier ist 80 Zentimeter groß. Was ist das?
Das Tier ist 6 Meter lang. Was ist das?
Das Tier ist 6000 Kilo schwer. Was ist das?
Das Tier ist gefährlich. Was ist das?
Das Tier frißt Pflanzen. Was ist das?
Das Tier kann schwimmen. Was ist das?
Das Tier kann tauchen. Was ist das?
Das Tier kann klettern. Was ist das?
Das Tier frißt Fleisch. Was ist das?
Das Tier frißt Fisch. Was ist das?

Mach weiter und stelle den anderen auch Tierrätsel.

A3 *Viele Tiere – was können sie?*
Trage die Nummern in die richtige Spalte ein und erzähle.

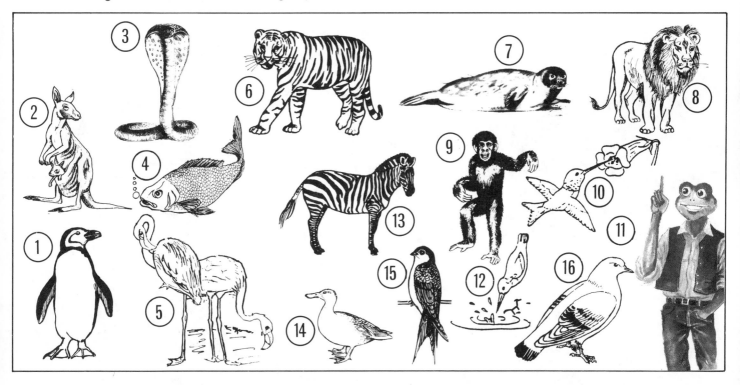

Nummer	kann laufen.
Nummer	kann fliegen.
Nummer	kann schwimmen.
Nummer	kann tauchen.
Nummer	kann springen.
Nummer	kann klettern.
Nummer	kann kriechen.
Nummer	kann Quatsch machen.

Was Tiere können

Melodie: J. Schöntges

1. Vie-le Tie-re kön-nen sprin-gen. Kön-nen Kro-ko-di-le sin-gen? Rob-ben kön-nen sehr schnell tau-chen. Sag mal, kön-nen sie auch rau-chen? Du kannst ja mal das Tier-buch fra-gen, Tier-buch fra-gen, Tier-buch fra-gen. Das kann dir die Ant-wort sa-gen, da steht al-les drin.

2. Papageien können fliegen.
   Schlangen nicht, die bleiben liegen.
   Tiger können ganz laut fauchen.
   Können Zebras denn auch tauchen?

   Du kannst ja mal das Tierbuch fragen …

3. Affen können prima tanzen.
   Fressen Elefanten Pflanzen?
   Können Nashörner gut sehen?
   Sag mal, können sie schnell gehen?

   Du kannst ja mal das Tierbuch fragen …

ELEFANT
Afrika/Asien

GIRAFFE
Afrika

NASHORN
Afrika

LÖWE
Afrika

ZEBRA
Afrika

BÄR
Europa/Asien

TIGER
Asien

KAMEL
Asien

PAPAGEI
Amerika

ADLER
Europa

EISVOGEL
Europa

AFFE
Afrika

FLAMINGO
Afrika

KROKODIL
Afrika

ROBBE
Europa/
Amerika

SCHLANGE
Asien

KÄNGURUH
Australien

WOLF
Europa

A4 *Woher kommen die Tiere?*
Schau ins Zoobild und antworte mit Hilfe der Pluraltabelle.

Beispiel: Die Krokodile kommen aus Afrika.

Singular	Plural							
	die -e	die -n	die -en	die ¨	**die ¨er**	die ¨e	die -s	die --
das Krokodil	Krokodil**e**							
der Elefant			Elefant**en**					
der Tiger								Tiger
das Zebra							Zebra**s**	
das Nashorn					Nash**örn**er			
die Robbe		Robbe**n**						
der Papagei			Papagei**en**					
die Schlange		Schlange**n**						
der Affe		Affe**n**						
das Kamel	Kamel**e**							
der Bär			Bär**en**					
die Giraffe		Giraffe**n**						
das Känguruh							Känguruh**s**	
der Flamingo							Flamingo**s**	
der Löwe		Löwe**n**						
der Adler								Adler
der Wolf						W**öl**f**e**		
der Eisvogel			Eisv**ö**gel					

△ **A5** *Erzähle.*

1. Wie sind die Tiere?
   Groß, klein, leicht, schwer, dick, dünn oder gefährlich?

2. Woher kommen die Tiere?
   Aus Europa, aus Afrika, aus Amerika, aus Asien oder aus Australien?

3. Was fressen die Tiere?
   Pflanzen, Fleisch oder Fisch?

4. Was können die Tiere?
   Können sie laufen, springen, klettern, fliegen, schwimmen oder tauchen?

Beispiel: 1. Die Krokodile sind groß und lang.
Sie sind schwer und auch gefährlich.

2. Sie kommen aus Afrika.

3. Die Krokodile fressen Fleisch.

4. Sie können schwimmen, tauchen und auch laufen.

△ **A6** ⟩ *Kannst du die Tabelle aus Willis Tierlexikon lesen? Wie alt können die Tiere werden?*
Schau in die Tabelle und erzähle.

⬓ **Lektion 6**

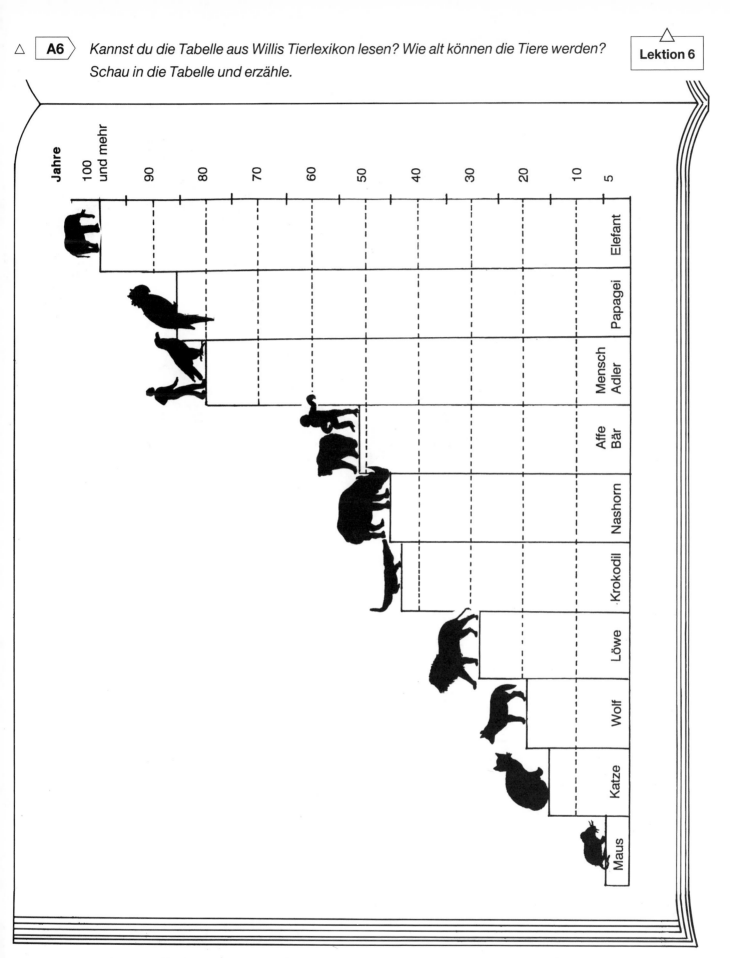

Beispiel:

Die Maus Eine Maus Mäuse	kann können	vier Jahre alt	werden.

Die Giraffe jagt die Maus.
Die Maus jagt den Löwe**n**.
Der Löwe jagt den Papagei.
Der Papagei jagt den Tiger.
Der Tiger jagt den Adler.
Der Adler jagt den Elefant**en**.
Der Elefant jagt das Kamel.
Das Kamel jagt den Affe**n**.
Der Affe jagt den Bär**en**.
Der Bär jagt Willi.
Willi jagt die Giraffe.
Die Giraffe jagt …

A7 *Erzähle eine Geschichte aus Dixiland. Fang an mit:*

1. Der Bär jagt …
2. Der Tiger jagt …
3. Willi jagt …

Such dir eine Geschichte aus und schreib sie in dein Heft.

Der Elefant

Der Elefant ist stark und kräftig. Er kann 4 m hoch und 6 m lang werden. Die *Ohren* sind sehr groß. Sie können 1,80 m breit werden. Die *Stoßzähne* sind lang und schwer. Sie können 3,50 m lang werden. Die *Beine* sind dick und kräftig. Die *Augen* sind klein. Der *Schwanz* ist dünn und lang. Er kann 1,50 m lang werden. Die Nase ist sehr lang. Sie heißt *Rüssel*. Der *Rüssel* kann 2,50 m lang werden.

Der Elefant kann sehr schnell laufen, 40 km pro Stunde.

A8 › *Beschrifte die Zeichnung. Such dazu die Nomen aus dem Text heraus.*

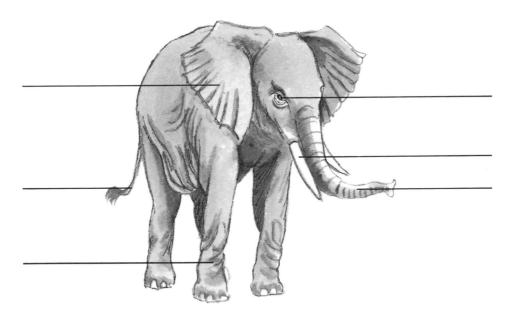

Der Elefant kann ein Kind und auch einen Baum *tragen*. Er kann einen Eimer und eine Kiste *heben*. Er kann ein Auto *ziehen*, eine Tür *öffnen* und einen Wasserhahn *aufdrehen*.

A9 › *Beschrifte die Zeichnungen. Suche dazu die Verben aus dem Text heraus.*

AB, S. 107

67

der Tisch	die Tasche	das Haus
die Uhr	das Fahrrad	das Schiff
der Stuhl	die Kommode	der Kasten
das Bett	der Teppich	das Auto
das Regal	der Herd	die Kiste
der Schrank	die Eisenbahn	der Baum
die Tür	der Eimer	die Badewanne

Otto kann einen Tisch heben.
Er kann eine Tasche tragen.
Er kann ein Auto ziehen.

Liebe Tierfreunde,
Ihr könnt täglich Tiere bei der Fütterung
beobachten:

Tierfütterung

		Zeiten:
ROBBEN	(täglich)	11.00 Uhr
MENSCHENAFFEN	(täglich)	10.00 Uhr
		14.00 Uhr
		17.00 Uhr
LÖWEN		
	(nur dienstags, mittwochs, donnerstags, samstags, sonntags)	15.30 Uhr
TIGER		
ADLER	(täglich)	10.30 Uhr
SCHLANGEN	(nur sonntags)	15.00 Uhr
KROKODILE	(nur montags, mittwochs, freitags, sonntags)	12.00 Uhr
EISBÄREN	(täglich)	11.30 Uhr
WÖLFE	(nur montags, mittwochs, freitags)	16.00 Uhr

Wann kann ich die Adlerfütterung sehen?

Kann ich täglich die Wolfsfütterung sehen?

Wann können wir die Affenfütterung sehen?

Kann ich heute vormittag die Eisbärenfütterung sehen?

Wann können wir die Schlangenfütterung sehen?

KASSE

(Ja,) um . . . Uhr.
Nein, aber . . . .
(Nein), nur . . . .

ZOO

Kann ich am Donnerstagvormittag die Löwenfütterung sehen?

Kann ich heute vormittag die Robben- und Eisbärenfütterung sehen?

Wann kann ich heute nachmittag Tierfütterungen sehen?

Im Zoo

Mario ist mit Papa im Zoo.
Mario findet Elefanten ganz toll.
Papa hebt Mario hoch.
Jetzt kann er prima sehen.
Da sind drei Elefanten und
der Wärter.
Sie spielen Zirkus.

Der große Elefant heißt Samson.
Er kommt aus Indien.
Samson ist sehr alt.
Er ist schon 70 Jahre alt.
„Nun komm schon, steh auf,
Samson!" sagt der Wärter, „Mach
jetzt deine Zirkusnummer!"

Aber Samson will heute nicht.
Er hat keine Lust.
„Was hast du denn heute,
Samson?" fragt der Wärter.

Da liegt Samson,
und er bleibt auch liegen.
Das findet der Wärter gar nicht gut,
und er geht weg.

Jetzt nimmt der Wärter einen Besen
und macht die Elefanten sauber.
Und Samson?
Samson ist wieder da.
Saubermachen findet er toll!

A12 › *Stimmt das? Kreuze an. Wenn **ja,** schreibe die Bildnummer auf.*

ja	Bildnummer	nein

1. Da sind Mario und Papa.
2. Papa ist mit Mario im Zirkus.
3. Die Elefanten finden Mario ganz toll.
4. Der Wärter und die Elefanten spielen Zirkus.
5. Papa trägt Mario.
6. Samson wohnt in Indien.
7. Der große Elefant ist alt.
8. Samson macht die Zirkusnummer nicht.
9. Der Wärter hat heute keine Lust.
10. Der Wärter und die Elefanten räumen auf.

△ **A13** › *Was paßt zusammen? Trage unten ein. Es gibt nicht immer nur eine Möglichkeit.*

1	Mario ...
2	Papa ...
3	Mario und Papa ...
4	Der Wärter ...
5	Samson ...
6	Die Elefanten ...

a	... sind im Zoo.
b	... hebt Mario hoch.
c	... ist im Zoo.
d	... sehen Elefanten.
e	... ist sehr alt.
f	... kommt aus Indien.
g	... hat keine Lust.
h	... spielen Zirkus.
i	... nimmt einen Besen.
k	... findet Elefanten toll.
l	... macht die Elefanten sauber.

1	2	3	4	5	6

Wir spielen

1. Die Schüler sitzen im Kreis. Der Lehrer verteilt an jedes Kind eine Wortkarte mit einem Tiernamen (z. B. *der Löwe*). Ein Stuhl bleibt frei. Der Schüler *links* neben dem Stuhl fängt an:
„Mein rechter Platz ist leer, ich wünsche mir den Löwen her!"
Der Schüler mit der entsprechenden Wortkarte setzt sich auf den leeren Stuhl. Sein linker Nachbar setzt das Spiel fort.

2. Der Lehrer verzaubert nacheinander einige Schüler. Er ruft sie nach vorne und sagt: „Du bist kein Junge/Mädchen mehr. Du bist ein/eine ... " (Den Tiernamen flüstert er dem Schüler ins Ohr).
Der Schüler sagt dann zur Klasse: „Ich bin jetzt ein Tier. Ich kann ... (z. B. fliegen). Wer bin ich?"

   Die anderen raten.

3. Die Schüler sitzen im Kreis. Ein Schüler beginnt: „Ich gehe in den Zoo. Ich sehe ein Krokodil."
Sein Nachbar wiederholt und setzt fort: „Ich gehe in den Zoo. Ich sehe ein Krokodil und einen Löwen." usw.

B1 > *Verben: Konjugation Präsens*

| | Modalverb | | |
Infinitiv	können	! fressen	! tragen
1. Pers. Sg.	ich k<u>a</u>nn	fress**e**	trag**e**
2. Pers. Sg.	du k<u>a</u>nn**st**	fr<u>i</u>ß**t**	tr<u>ä</u>g**st**
3. Pers. Sg.	er k<u>a</u>nn	fr<u>i</u>ß**t**	tr<u>ä</u>g**t**
	sie k<u>a</u>nn	fr<u>i</u>ß**t**	tr<u>ä</u>g**t**
	es k<u>a</u>nn	fr<u>i</u>ß**t**	tr<u>ä</u>g**t**
1. Pers. Pl.	wir könn**en**	fress**en**	trag**en**
2. Pers. Pl.	ihr könn**t**	fr<u>e</u>ß**t**	tragt
3. Pers. Pl.	sie könn**en**	fress**en**	trag**en**

B2 > *Nomen: (e)n-Deklination Nominativ Singular/Plural und Akkusativ Singular*

	Singular	Plural	Singular	Plural
Nominativ	der Affe	die Aff**en**	der Elefant	die Elefant**en**
Akkusativ	den Aff**en**		den Elefant**en**	
Nominativ	der Bär	die Bär**en**	der Löwe	die Löw**en**
Akkusativ	den Bär**en**		den Löw**en**	
Nominativ	der Name	die Nam**en**		
Akkusativ	den Nam**en**			

Ene mene miste,
   der Bär   kommt in die Kiste.
Ene mene mu,
   die Bär**en** kommen dazu.
Ene mene maus,
du nimmst den Bär**en** wieder raus.

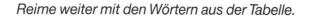

Reime weiter mit den Wörtern aus der Tabelle.

Die Schwester von Willi heißt **Milli.**

Wie heißt die Schwester von Willi?

Milli ist **12 Jahre alt.**

Wie alt ist Milli?

Milli kommt **aus Froschdorf.**

Woher kommt Milli?

Willi ist der Bruder von Milli.

Wer ist der Bruder von Milli?

Milli macht gern **Deutsch.**

Was macht Milli gerne?

Milli macht **nachmittags** Hausaufgaben.

Wann macht Milli Hausaufgaben?

Oma kann nicht gut hören. Spielt die Szene auch mit Aussagen über Willi.

B4 *Satzmodelle*

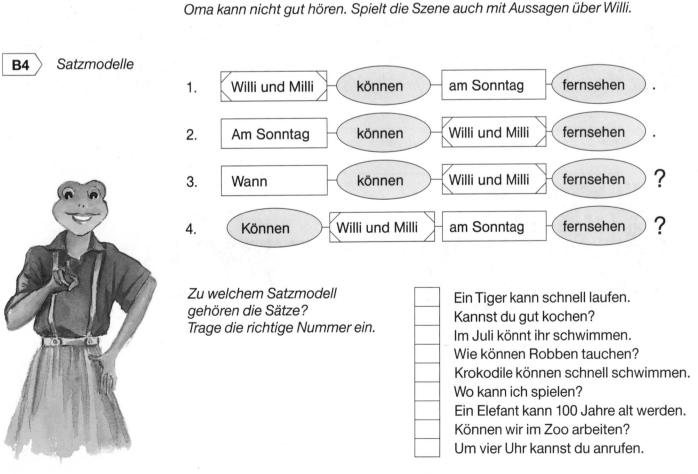

1. Willi und Milli — können — am Sonntag — fernsehen .

2. Am Sonntag — können — Willi und Milli — fernsehen .

3. Wann — können — Willi und Milli — fernsehen ?

4. Können — Willi und Milli — am Sonntag — fernsehen ?

Zu welchem Satzmodell gehören die Sätze? Trage die richtige Nummer ein.

	Ein Tiger kann schnell laufen.
	Kannst du gut kochen?
	Im Juli könnt ihr schwimmen.
	Wie können Robben tauchen?
	Krokodile können schnell schwimmen.
	Wo kann ich spielen?
	Ein Elefant kann 100 Jahre alt werden.
	Können wir im Zoo arbeiten?
	Um vier Uhr kannst du anrufen.

ZIRKUS ZIMPANELLI

Der Zirkus gehört Familie Zimpanelli. Es gibt den Zirkus nun schon 100 Jahre. Von April bis Oktober macht er Vorstellungen überall in Europa:

Im April und im Mai ist er in Frankreich und Spanien. Im Juni ist er in Italien, im Juli ist er dann in Dänemark. In Deutschland macht er im August und im September Vorstellungen. Dann ist er vier Wochen in Österreich und kommt am 31. Oktober in das Winterquartier zurück. Das Winterquartier von Zirkus Zimpanelli ist in München. Bei Zirkus Zimpanelli arbeiten im Sommer 150 Leute. In das Winterquartier gehen aber nur 100 Zirkusleute. Im Winter besuchen die Zirkuskinder in München die Schule, und im Sommer gehen sie in die Zirkusschule.

Der Zirkusdirektor heißt Ernesto Zimpanelli. Er ist nun schon der vierte Zirkusdirektor in der Familie Zimpanelli. Wie schon Vater Zimpanelli, Großvater Zimpanelli und Urgroßvater Zimpanelli liebt er den Zirkus über alles. Ernesto liebt Pferde sehr. Er zeigt die Pferdenummer.

Die Seilnummer zeigen die „3 Bravos". Sie sind Artisten. Sie laufen und tanzen über das Seil, und das sieht ganz leicht aus.

Der Dompteur Castor zeigt die Raubtiernummer. Er hat zwei Tiger, zwei Löwen und einen Leoparden.

Die Clowns Zippo und Zappo machen ganz viel Quatsch und streiten oft. Sie machen Musik und sehen lustig aus.

Der Zauberer Blasius Oreganus zeigt viele Zaubertricks. Er hat einen Zauberdrachen. Der sieht gefährlich aus.

A1 ⟩ *Numeriere die Stationen der Zirkusreise auf der Europakarte.*
*Erzähle: **Wann** ist Zirkus Zimpanelli **wo**?*

Lektion 7

① April ② Mai ③ Juni ④ Juli ⑤ August ⑥ September ⑦ Oktober ⑧ November bis April

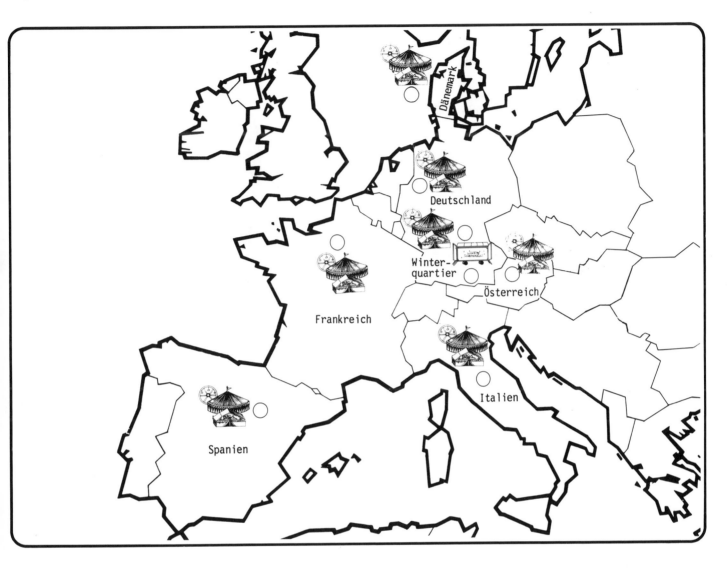

◆ **A2** ⟩ *Hier ist der Bericht über Zirkus Zimpanelli aus der „Hamburger Zeitung". Stimmt das alles?*
Vergleiche mit dem Zirkusprogramm auf S. 74 und unterstreiche, was falsch ist.

Zirkus Zimpanelli kommt!

Von Jürgen Krause

HAMBURG, den 6. August

Von Freitag bis Mittwoch ist Zirkus Zimpanelli in Hamburg. Der Zirkus ist schon 150 Jahre alt und gehört Zippo und Zappo Zimpanelli.

Im Sommer arbeiten 150 Leute bei Zirkus Zimpanelli und machen Vorstellungen überall in Europa.

In Deutschland sind sie nur zwei Monate im Jahr. Unterricht haben die Zirkuskinder nur im Winter.

Der Zirkusdirektor ist Großvater Zimpanelli. Er zeigt die Zaubernummer. Im Programm gibt es sieben Nummern. Fünf Raubtiere zeigen die Raubtiernummer. Die Seil-

nummer macht der Zauberdrache. Er läuft und tanzt über das Seil. Die Pferde von Ernesto Zimpanelli machen Musik.

Die Clowns sehen gefährlich aus und zeigen Zaubertricks. Blasius Oreganus ist der Artist. Er hat einen Zauberdrachen. Der sieht lustig aus.

HAMBURGER *Zeitung*

Hamburger Zeitung.
Hier Krause.

Guten Tag, Herr Krause.
Mein Name ist Ernesto Zimpanelli.
Ich bin der Direktor von Zirkus Zimpanelli.

Ach ja, Herr Zimpanelli.
Wie finden Sie denn meinen Bericht?

Ja, wissen Sie, der Bericht
ist leider nicht ganz richtig.

Wirklich? Was ist denn falsch?

Sie schreiben, der Zirkus ist schon 150 Jahre alt.
Das stimmt nicht. Der Zirkus ist erst 100 Jahre alt.

Oh, entschuldigen Sie bitte!

Sie schreiben auch, der Zirkus gehört Zippo und Zappo Zimpanelli.
Das stimmt aber nicht. Der Zirkus gehört Familie Zimpanelli.

Oh, entschuldigen Sie bitte!

Sie schreiben auch, ...

. . . .

. . . .

Entschuldigen Sie bitte, Herr Zimpanelli!
Ich komme morgen in den Zirkus
und schreibe den Bericht noch einmal.

A3 *Führt das Telefongespräch fort. Schaut dazu in den Zeitungsbericht von Jürgen Krause.*

Der Zauberdrache und die Flugnummer

(1) Der Zauberdrache will **auf** den Wagen fliegen,

(2) aber er fällt **vor** den Wagen.

(3) Er will **über** den Wagen fliegen,

(4) aber er fällt **hinter** den Wagen.

(5) Er will **durch** den Wagen fliegen,

(6) aber er fällt **neben** den Wagen.

(7) Er will **in** den Wagen fliegen,

(8) aber er fällt wieder **neben** den Wagen.

(9) Jetzt hat er keine Lust mehr.
Er kriecht **unter** den Wagen.

Probe bei Zirkus Zimpanelli

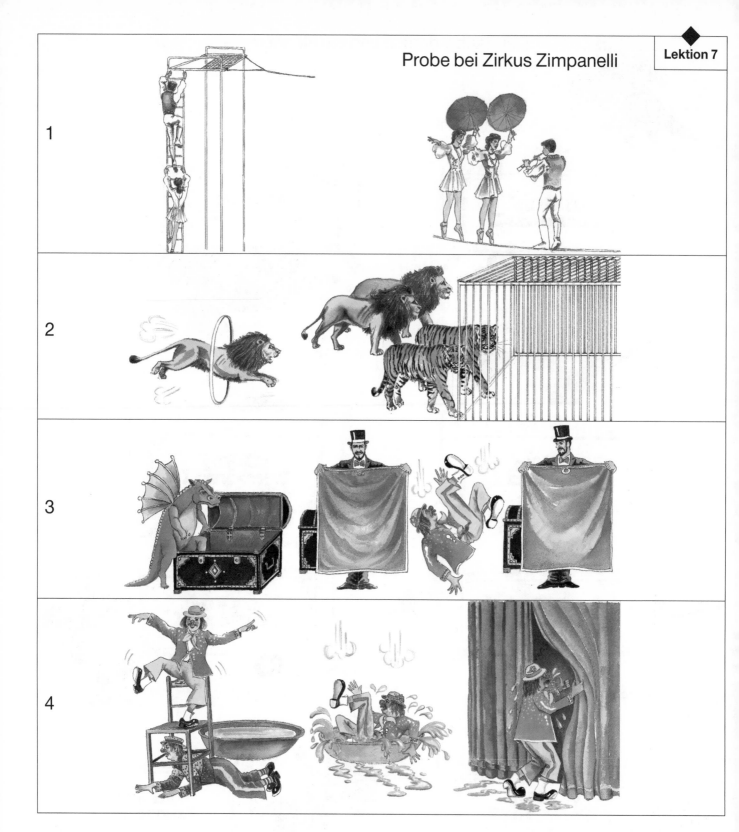

A Der Zauberdrache klettert in die Kiste.
Der Zauberer hält ein Tuch vor die Kiste.
Da fällt Zappo neben die Kiste.

B Die Artisten klettern auf das Seil.
Dann laufen und tanzen sie über das Seil.

C Der Löwe springt durch den Reifen.
Die Raubtiere laufen in den Käfig.

D Zippo kriecht unter den Stuhl.
Zappo steigt auf den Stuhl und macht Quatsch.
Da fällt er ins Wasser.
Nun hat Zappo keine Lust mehr und geht hinter den Vorhang.

A4 *Ordne den Bildern den passenden Text zu.*
Welche Zirkusnummer findest du toll?
Lies sie den anderen vor.

Zippo und Zappo wollen eine Artistennummer zeigen. Was können sie alles machen?
Erzähl mit Hilfe des Schüttelkastens.

Zippo Zappo	klettert springt fällt läuft kriecht fliegt steigt	auf über unter vor hinter neben durch in	den die das	Wasser. Seil. Kiste. Reifen. Käfig. Stuhl. Tisch. Fahrrad. Raumschiff.
		ins		

Der Zauberdrache hat einen Wagen,
und das ist ein Zauberwagen.
<u>In</u> den Wagen <u>steigt</u> ein <u>Pferd,</u>
und das ist ein Zauberpferd.
<u>Unter</u> den Wagen <u>kriecht</u> eine <u>Schlange,</u>
und das ist eine Zauberschlange.

◆ A6 ⟩ Erzähl nun deine Zauberwagengeschichte! Nimm die Wörter hier und dichte:

durch	– rennen	– Krokodil
neben	– springen	– Känguruh
vor	– fallen	– Tasche
auf	– klettern	– Katze
über	– fliegen	– Vogel
hinter	– fallen	– Ball

Zaubertricks

Blasius Oreganus erklärt Zippo einen Zaubertrick:

① Nimm eine Schnur (etwa 1 m lang)!
Binde die Schnur zusammen!

② Dreh die Schnur!

③ Halt die Schnur fest
und verstecke die Schlinge!

④ Schneide die Schnur!

⑤ Wirf die Schnur in die Luft!

Hokuspokus, Fidibus!
Die Zauberschnur ist nicht kaputt.

Zappo will auch zaubern. Der Zauberer erklärt noch einen Zaubertrick:

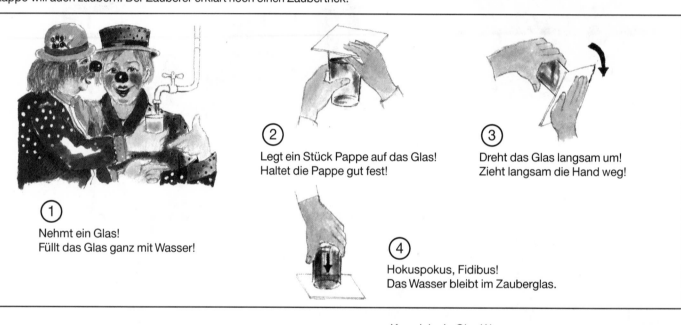

① Nehmt ein Glas!
Füllt das Glas ganz mit Wasser!

② Legt ein Stück Pappe auf das Glas!
Haltet die Pappe gut fest!

③ Dreht das Glas langsam um!
Zieht langsam die Hand weg!

④ Hokuspokus, Fidibus!
Das Wasser bleibt im Zauberglas.

Blasius Oreganus erklärt
Jürgen Krause auch einen Zaubertrick:

Kann ich ein Glas Wasser
auf die Postkarte stellen?
Bleibt das Glas Wasser stehen?

Nein!

Der Zaubertrick geht so:

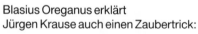
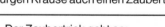

① Nehmen Sie eine Tasse, eine Postkarte
und ein Glas Wasser!

② Falten Sie die Postkarte
im Zickzack!

③ Legen Sie nun die Postkarte
auf die Tasse!

④ Stellen Sie das Glas Wasser
auf die Postkarte!

Hokuspokus, Fidibus!
Die Zauberkarte trägt das Glas Wasser.

80

A7 *Ordne richtig zu und trage unten die Nummern ein.*

Jürgen Krause

Nino Zimpanelli

1. Passen Sie auf!
2. Macht den Käfig zu!
3. Lauf über das Seil!
4. Klettert auf den Stuhl!
5. Gehen Sie bitte hinter den Vorhang!
6. Werft den Ball in die Luft!
7. Halten Sie den Stuhl fest!
8. Steigt auf den Tisch!
9. Nimm den Ball!
10. Springt in die Kiste!
11. Seien Sie leise!
12. Sei nicht so laut! Ruhe!
13. Seid bitte still! Ruhe!
14. Paß auf! Fall nicht!
15. Lesen Sie den Bericht!
16. Nehmt den Reifen!

der Direktor und Jürgen Krause

Maria und Nino Zimpanelli

Jürgen Krause	der Direktor und Jürgen Krause	Nino Zimpanelli	Maria und Nino Zimpanelli

A8 *Sag deinem Banknachbarn, deinen Mitschülern und deiner Lehrerin (deinem Lehrer), was sie tun sollen.*

auf den Stuhl steigen
das *Deutschmobil* nehmen
die Tür aufmachen
die Tür zumachen
rausgehen
reinkommen
ein Lied singen
einen Satz lesen
die Schultasche auf den Tisch legen
auf den Tisch klettern
unter den Tisch kriechen
einen Löwen malen
das Licht anmachen
das Licht ausmachen
Quatsch machen
aufstehen
den Stuhl auf den Tisch stellen

Willi, mach die Hausaufgaben!
Räum das Zimmer auf!
Mach das Zimmer auch sauber!
Stell die Schultasche auf den Tisch!
Ruf Oma an!
Sei nicht so laut!
Mach die Musik leise!
Mach das Radio aus!
Mach die Tür zu!

Was soll ich machen?
Ich kann nichts verstehen,
die Musik ist so laut!

Du sollst ...

A9 *Was soll Willi machen?*

Er soll die Hausaufgaben machen.
Er soll das Zimmer aufräumen.
...

Was sagt Milli?

Du sollst die Hausaufgaben machen.
Du sollst das Zimmer aufräumen.
...

Willi und Milli spielen Zirkus: Willi als Artist

Willi, klettere auf den Tisch!

Du sollst nicht springen,
du sollst klettern!

Willi, spring auf den Schrank!

Du sollst nicht fallen,
du sollst springen!

Willi, mach dein Bett auf!

Du sollst dein Bett nicht zumachen,
du sollst dein Bett aufmachen!

A10 *Du bist Milli. Was sagst du zu Willi?*

1. auf das Fahrrad steigen (nicht auf das Fahrrad klettern)
2. den Stuhl auf den Tisch stellen (den Stuhl nicht unter den Tisch legen)
3. über die Badewanne springen (nicht ins Wasser fallen)
4. den Schrank aufmachen (den Schrank nicht kaputtmachen)
5. unter den Tisch kriechen (nicht über den Tisch kriechen)
6. hinter die Kommode kriechen (nicht über die Lampe klettern)
7. das Regal festhalten (das Regal nicht drehen)

Schreib jetzt in dein Heft, was Milli sagt.

Zwei Wochenpläne

MONTAG

9⁰⁰ Jürgen Krause anrufen
11⁰⁰ die Schule besuchen

DIENSTAG

10⁰⁰ die Elefantennummer
ansehen
12⁰⁰ ins Fernsehstudio fahren

MITTWOCH

9⁰⁰ mit Zappo sprechen
10⁰⁰ das Deutschmobil ansehen

DONNER...

FREI...

Mo
9⁰⁰ die Pferdenummer proben
11⁰⁰ den Zoodirektor besuchen

Di
10⁰⁰ die Schule besuchen
12⁰⁰ Jürgen Krause den Zirkus
zeigen

Mi
9⁰⁰ mit Zippo einkaufen

> Herr Direktor, Sie sollen am Montag um 9 Uhr Jürgen Krause anrufen.

> Ich kann Jürgen Krause nicht anrufen. Ich will die Pferdenummer proben. Bitte ändern Sie das, Frau Becker!

◆ **A11** *Führt das Gespräch fort und schaut dazu in die beiden Wochenpläne.*

Wir spielen

Jedes Kind gibt ein Pfand ab (Uhr, Federtasche, Schuh, ...). Einem Kind werden die Augen verbunden.
Ein anderes Kind hält ein Pfand hoch und fragt das erste Kind:
„Eins, zwei, drei, los, sag uns nun, was soll der Besitzer tun?"
Das Kind gibt nun eine Anweisung zum Pfandeinlösen wie z. B.: „Der Besitzer soll auf den Stuhl steigen." Führt der Pfandbesitzer die Anweisung aus, bekommt er sein Pfand zurück.

◆ **A12** Heute geht Jürgen Krause in die Zirkusschule. Er fragt dort Lehrer und Schüler. Zuerst spricht er mit Frau Rinke. Sie ist die Lehrerin.

Frau Rinke, arbeiten Sie gern im Zirkus?

Ja, natürlich! Die Arbeit hier macht viel Spaß. Die Kinder sind alle sehr nett.

Wie ist der Stundenplan?

Der Stundenplan ist wie überall in Deutschland. Wir nehmen alle Fächer durch. Ich gebe auch immer Hausaufgaben auf. Die Hausaufgaben machen wir zusammen. Ich erkläre gern und helfe auch gern. Es gibt keine Schwierigkeiten.

Verstehen die Kinder immer alles? Wissen die Kinder immer alles?

Wer etwas nicht kapiert oder nicht weiß, kann kommen; ich erkläre dann alles noch einmal.

Sie sind also immer nett und nie streng?

Na ja, manchmal schimpfe ich auch. Die Kinder verstehen das schon und sind nicht traurig. Wir sind doch alle Freunde.

Was ist denn anders hier?

Die Schule ist ein Zirkuswagen und fährt durch ganz Europa. Alle Kinder machen gern Sport und spielen ein Musikinstrument.

Hier sind die Notizen von Jürgen Krause. Erzähle mit Hilfe der Notizen über die Zirkusschule.

- die Zirkuskinder / die Zirkusschule
- Frau Rinke / die Lehrerin
- die Kinder / alle Fächer
- die Lehrerin / immer Hausaufgaben
- die Lehrerin / helfen und erklären
- die Schule / ein Zirkuswagen
- die Schule / durch ganz Europa
- die Kinder / gern Sport
- die Kinder / alle ein Musikinstrument

Jürgen Krause fragt auch die Kinder: Wie soll eine Lehrerin sein?
Hier sind die Antworten:

Kai Marquardt (9)

Also, eine Lehrerin soll nett sein und helfen, wenn man was nicht versteht. Und nicht zu streng. Wenn man traurig ist oder Schwierigkeiten hat, muß man immer zu ihr gehen können.

Tanya Meller (9)

Also, streng darf eine Lehrerin nicht sein. Auch wenn wir etwas nicht kapieren, soll sie das alles nochmal mit uns durchnehmen. Sie soll auch schöne Sachen mit uns machen, nicht nur lernen.

Benjamin Bornemann (9)

Na ja, sie soll nicht so streng sein. Und wenn man etwas nicht weiß, soll sie helfen. Sie soll alles richtig erklären, daß man das auch kapiert.

Ida Hess (9)

Eine Lehrerin soll nicht bei jedem bißchen schimpfen. Sie soll nicht sofort motzen.

Jurek Krull (9)

Eine Lehrerin soll nicht so streng sein, und sie soll nicht so viele Hausaufgaben aufgeben. Sie soll auch mal was vorlesen.

Effi Kanozian (11)

Eine Lehrerin soll nett sein. Sie soll Geschichten erzählen und gut zuhören, wenn man was hat.

◆ | A13 > *Wie soll eine Lehrerin sein? Kreise ein, was die Kinder sagen.*

---

nicht so viele Hausaufgaben aufgeben

vorlesen   nicht streng sein

alles noch einmal durchnehmen   helfen

traurig sein   nett sein   dünn sein

Quatsch machen   streng sein

Hausaufgaben machen   Geschichten schreiben

Geschichten erzählen   richtig erklären

Ball spielen      schöne Sachen machen

alles wissen   schnell sein

nicht zuhören

gut zuhören   nicht schimpfen

langsam sein

Die Kinder sagen: „Eine Lehrerin soll ...“

Zippo und Zappo

Ich habe Zippo gern, lieber als Zappo.
> Zippo? Ich habe Zappo am liebsten.
Ich bin groß, größer als du.
> Nein, ich bin am größten.
Ich bin dumm, dümmer als du.
> Quatsch, ich bin am dümmsten!
Ich bin dick, viel dicker als du.
> Unsinn, ich bin am dicksten!
Ich kann laut singen, lauter als du.
> Stimmt nicht. Ich kann am lautesten singen.
Ich kann gut Musik machen, besser als du.
> Quatsch, ich kann das am besten!
Ich kann aber hoch springen, höher als du.
> Stimmt nicht. Ich kann am höchsten springen.
Ich kann viel essen, mehr als du.
> Unsinn, ich esse am meisten!
Ich kann ganz leise sprechen.
> Nein, ich kann leiser sprechen.
Quatsch, ich spreche am leisesten!
> Wie bitte? Was sagst du da? Sprich lauter!

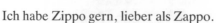

TIERREKORDE

schwer sein

der Elefant:	6000 kg
das Nilpferd:	4000 kg
das Nashorn:	3000 kg

langsam sein

die Schnecke:	1 km in 23 Tagen
das Faultier:	1 km in 6 Stunden
die Schildkröte:	1 km in 3 Stunden

schnell sein

der Falke:	360 km/h
der Adler:	190 km/h
die Taube:	151 km/h

groß sein

das Straußenei:	18 cm
das Schwanenei:	11 cm
das Hühnerei:	5,5 cm

weit springen

der Puma:	7 m
der Tiger:	4 m
der Löwe:	3,80 m

hoch springen

der Steinbock:	3,70 m
das Känguruh:	3,50 m
der Hase:	2,10 m

◆ **A15** › *Vergleiche die Tiere:*

Das Nashorn ist **schwer**.
Das Nilpferd ist **schwerer als** das Nashorn,
aber **am schwersten** ist der Elefant.

Seedorf ist so klein wie Froschdorf, aber viel schöner.
Das Haus von Oma und Opa in Seedorf ist alt, aber sehr groß. Es ist so groß wie ein Zirkus. Da kann ein Elefant wohnen.
Omas Kuchen schmeckt besser als Mamas Kuchen. Omas Eistorte schmeckt am besten. Sie macht jeden Tag 10 Eistorten.
Und Opa ist sehr stark, viel stärker als Papa. Er ist so stark wie ein Elefant.
Mit Oma und Opa kann ich sehr gut spielen, viel besser als mit Milli. Mit Oma kann ich ganz viel Quatsch machen, mehr Quatsch als mit Milli. Aber mit Opa kann ich am meisten Quatsch machen. Opa ist so lustig wie ein Clown.
In Seedorf ist das Spielzeug billiger als in Froschdorf. Ein Fußball ist in Froschdorf viel teurer.
Die Schule in Seedorf ist nicht so doof wie die Schule in Froschdorf. Die Lehrerin ist netter, nicht so streng wie der Lehrer in Froschdorf.
In Seedorf gehe ich gern in die Schule, viel lieber als in Froschdorf.
Die Mädchen in Seedorf sind viel netter als die Mädchen in Froschdorf.
Sie können schneller laufen, sie können besser Fußball spielen, sie können höher springen, sie ...

Sind sie auch stärker als die Mädchen in Froschdorf?

Na klar, sie sind viel stärker als die Mädchen in Froschdorf!

A16   *Was sagt Willi? Wo ist das so? Kreuze an und erzähle.*

	in Seedorf	in Froschdorf
1. Die Mädchen können besser laufen.		
2. Das Spielzeug ist teurer.		
3. Das Haus ist groß.		
4. Die Lehrerin ist nicht so streng.		
5. Willi kann nicht so gut spielen.		
6. Die Mädchen können nicht so gut Fußball spielen.		
7. Der Kuchen schmeckt besser.		
8. Ein Fußball ist billiger.		
9. Der Lehrer ist nicht so nett.		
10. Die Schule ist doof.		
11. Willi kann mehr Quatsch machen.		
12. Die Mädchen sind nicht so stark.		
13. Willi geht nicht so gern in die Schule.		

A17   *Erzähle:*

„In Seedorf können die Mädchen besser laufen. In ...“

A18   *Du bist Milli. Was sagst du zu Willi?*

Alles Quatsch!
Wir **sind** genauso **nett** wie die Mädchen in Seedorf.
Wir können genauso **schnell laufen** wie die Mädchen in Seedorf.
Wir ...

1. nett sein	5. schnell laufen
2. stark sein	6. hoch springen
3. lustig sein	7. viel Quatsch machen
4. kräftig sein	8. gut Fußball spielen

 *AB, S. 108*

Infinitiv	2. Pers. Sg.	2. Pers. Pl.	3. Pers. Pl.
1. haben	hab(e)!	habt!	haben Sie!
sein	sei!	seid!	seien Sie!
2. geben	gib!	gebt!	geben Sie!
helfen	hilf!	helft!	helfen Sie!
lesen	lies!	lest!	lesen Sie!
nehmen	nimm!	nehmt!	nehmen Sie!
sehen	sieh!	seht!	sehen Sie!
sprechen	sprich!	sprecht!	sprechen Sie!
werfen	wirf!	werft!	werfen Sie!
3. entschuldigen	entschuldige!	entschuldigt!	entschuldigen Sie!
erklären	erklär(e)!	erklärt!	erklären Sie!
fahren	fahr(e)!	fahrt!	fahren Sie!
stellen	stell(e)!	stellt!	stellen Sie!
zeigen	zeig(e)!	zeigt!	zeigen Sie!
4. anmachen	mach an!	macht an!	machen Sie an!
ansehen	sieh an!	seht an!	sehen Sie an!
festhalten	halt(e) fest!	haltet fest!	halten Sie fest!
rausgehen	geh raus!	geht raus!	gehen Sie raus!
reinkommen	komm rein!	kommt rein!	kommen Sie rein!
stehenbleiben	bleib stehen!	bleibt stehen!	bleiben Sie stehen!
vorlesen	lies vor!	lest vor!	lesen Sie vor!
zuhören	hör zu!	hört zu!	hören Sie zu!
zumachen	mach zu!	macht zu!	machen Sie zu!
zusammenbinden	bind(e) zusammen!	bindet zusammen!	binden Sie zusammen!

B2 *Modalverben: Konjugation Präsens*

Infinitiv	wollen	sollen
1. Pers. Sg.	ich will	soll
2. Pers. Sg.	du willst	sollst
3. Pers. Sg.	er will	soll
	sie will	soll
	es will	soll
1. Pers. Pl.	wir wollen	sollen
2. Pers. Pl.	ihr wollt	sollt
3. Pers. Pl.	Sie wollen	sollen
	sie wollen	sollen

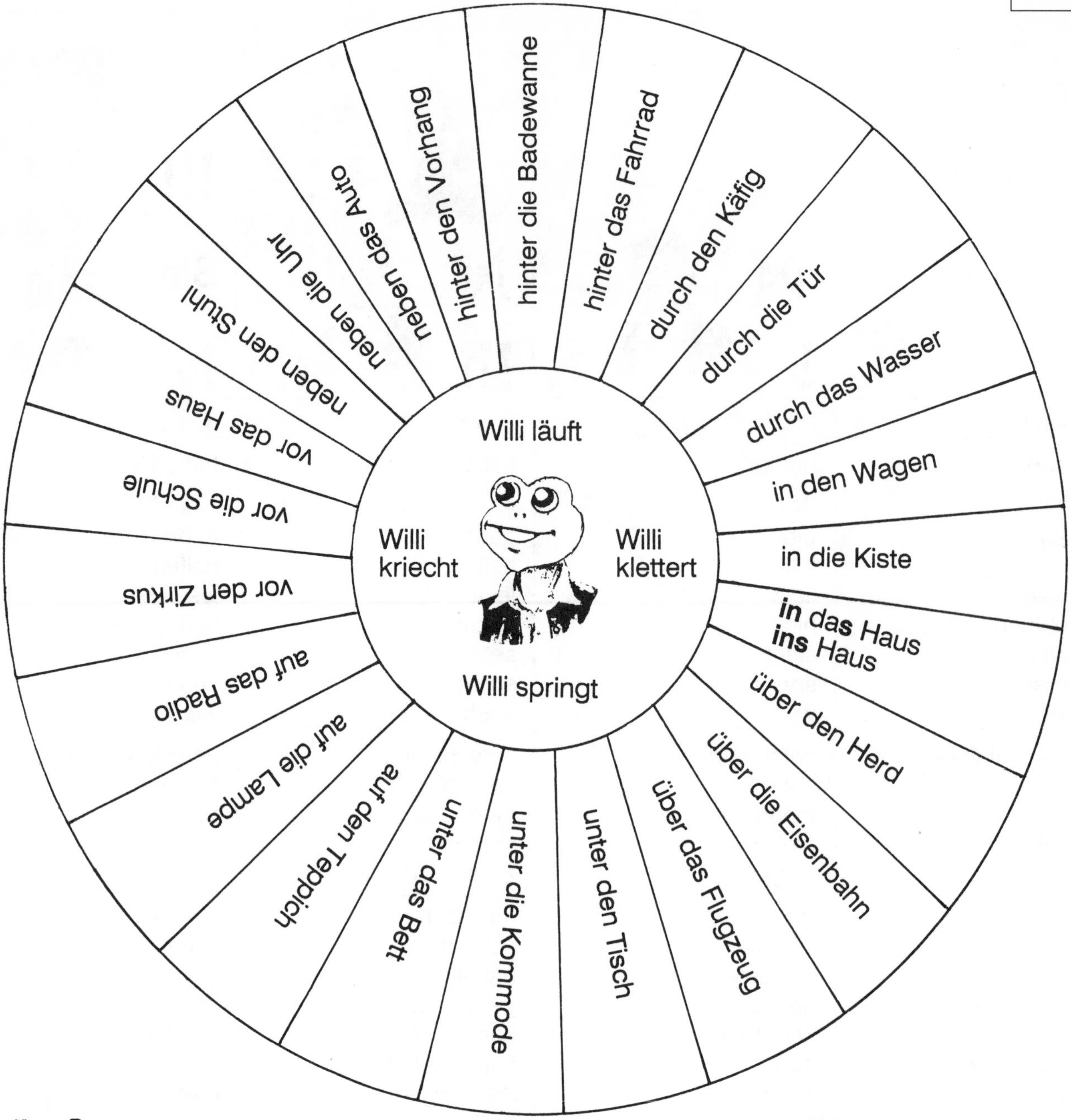

Willi läuft

Willi kriecht

Willi klettert

Willi springt

neben das Auto

hinter den Vorhang

hinter die Badewanne

hinter das Fahrrad

durch den Käfig

durch die Tür

durch das Wasser

in den Wagen

in die Kiste

in da**s** Haus
ins Haus

über den Herd

über die Eisenbahn

über das Flugzeug

unter den Tisch

unter die Kommode

unter das Bett

auf den Teppich

auf die Lampe

auf das Radio

vor den Zirkus

vor die Schule

vor das Haus

neben den Stuhl

neben die Uhr

Ein Mäuschen springt

im Galopp

in die Kiste,

hopplahopp.

Ein Mäuschen springt

im Galopp

hinter den Vorhang,

hopplahopp …

Reime weiter.

	Positiv	Komparativ	Superlativ
1.	dick	dick**er**	am dick**sten**
	dünn	dünn**er**	am dünn**sten**
	laut	laut**er**	am laut**esten**
2.	teuer	teu**er**	am teuer**sten**
3.	lang	läng**er**	am läng**sten**
	stark	stärk**er**	am stärk**sten**
	dumm	dümm**er**	am dümm**sten**
4.	groß	größ**er**	am größ**ten**
	hoch	höh**er**	am höch**sten**
	gut	bess**er**	am bes**ten**
	gern	lieb**er**	am liebs**ten**
	viel	mehr	am mei**sten**

Jörg   Ursula   Petra   Klaus

1. Petra ist **so** groß **wie** Ursula.
2. Ursula ist **so** groß **wie** Petra.
3. Klaus ist größ**er als** Ursula.
4. Jörg ist größ**er als** Klaus.
5. Jörg ist viel größ**er als** Petra.
6. Er ist **am** größ**ten**.

Vergleiche das Alter der Kinder:
Petra/Ursula: 9 Jahre; Klaus: 10 Jahre; Jörg: 12 Jahre.

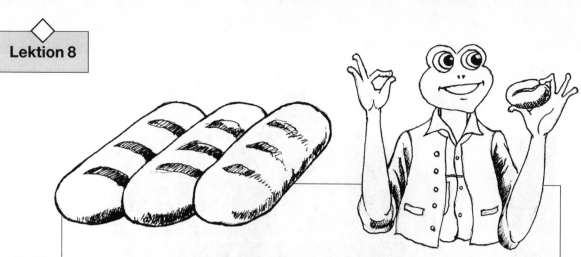

Drei Brote und ein Brötchen

Nach Leo N. Tolstoi

Willi hat einen Riesenhunger. Er kauft *ein Brot* und ißt *es* auf. Er hat immer noch Hunger. Er kauft noch *ein Brot* und ißt *es* auch auf. Aber er ist immer noch hungrig. Jetzt kauft er wieder *ein Brot* und ißt *es* auch auf. Aber er ist immer noch nicht satt.

Nun kauft er *ein Brötchen.* Er ißt *es* auf, und sofort ist er satt. Da staunt Willi: „Komisch, jetzt bin ich satt."

Er ruft: „Was bin ich doch dumm! So viel Geld für *die Brote! Ein Brötchen* macht satt. *Ein Brötchen* ist doch genug."

A1 *Erzähle die Willi-Geschichte noch einmal:*
Ersetze dabei die schräg gedruckten Wörter durch:

> der Kuchen (die Kuchen) – der Keks / ihn
> die Torte (die Torten) – die Schokolade / sie
> das Huhn (die Hühner) – das Ei / es
> der Käse (die Käse) – der Apfel / ihn
> die Wurst (die Würste) – die Tomate / sie

A2 *Such dir eine Geschichte aus und schreibe sie auf.*

A3 Ergänzt den Dialog mit der Verkäuferin. Setzt ein: *ihn – sie – es.*

Lektion 8

Ich möchte die Wurst da.

Möchtest du __sie__ mitnehmen oder möchtest du _____ hier essen?

Ich esse _____ hier. Was kostet die Wurst?

3 Mark 50.

Ich habe noch Hunger.

Möchtest du vielleicht den Käse da?

Ja gern. Ich nehme _____ .

Möchtest du _____ mitnehmen oder möchtest du _____ hier essen?

Ich esse _____ hier. Was kostet der Käse?

2 Mark 75.

Ich bin immer noch nicht satt.

Möchtest du vielleicht das Brötchen da?

Ja gern. Ich nehme _____ .

Möchtest du _____ mitnehmen oder möchtest du _____ hier essen?

Ich esse _____ hier. Was kostet das Brötchen?

75 Pfennig.

Jetzt bin ich satt. Was bin ich doch dumm!
Ein Brötchen ist doch genug!

Spielt den Dialog auch mit: **die Torte (DM 10,20) – der Apfel (DM 0,50) – das Ei (DM 0,20)
das Huhn (DM 5,90) – die Schokolade (DM 1,50) – der Keks (DM 0,75)**

A4 *Macht Dialoge wie im Beispiel. Die Liste hilft euch dabei.*

Möchtest du den Käse da? → Ja, was kostet er?

Er kostet 3 Mark 50. → Ich nehme ihn.

der Saft	DM 2,75	er – ihn	der Honig	DM 6,80	er – ihn
die Limonade	DM 1,80	sie – sie	die Butter	DM 2,20	sie – sie
der Kakao	DM 0,90	er – ihn	das Brot	DM 2,85	es – es
die Milch	DM 0,80	sie – sie	das Brötchen	DM 0,75	es – es
der Tee	DM 2,40	er – ihn	der/das Joghurt	DM 1,20	es – es
der Kaffee	DM 9,95	er – ihn	das Stück Kuchen	DM 1,45	es – es
die Marmelade	DM 2,60	sie – sie	das Stück Torte	DM 2,50	es – es

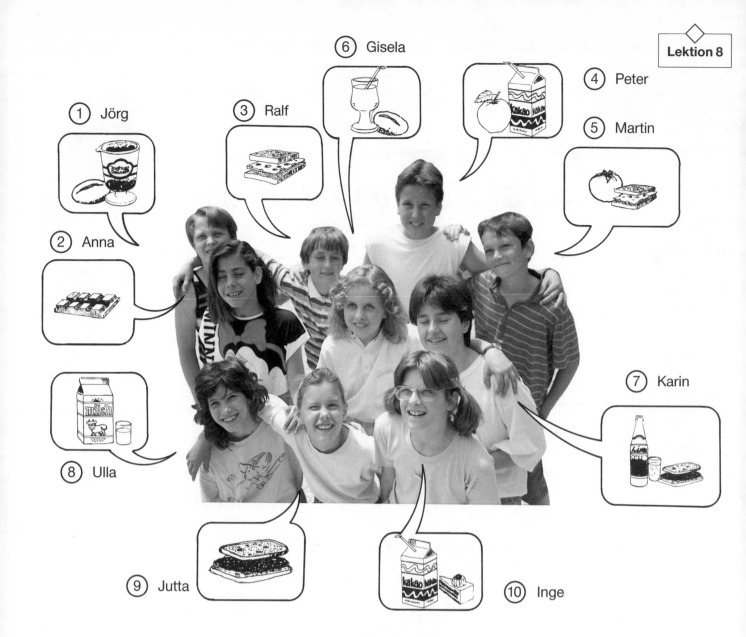

Pausenbrot

○ Kakao und Apfel   ○ Wurstbrot und Limo

○ Käsebrot   ○ Schokolade

○ Wurstbrot   ○ Käsebrot und Tomate

○ Joghurt und Brötchen   ○ Saft und Brötchen

○ Milch   ○ ein Stück Kuchen und Kakao

◇ **A5**   *Erzähle, was die Kinder in der Pause essen. Der Kasten hilft dir dabei:*

> Inge ißt/trinkt gern ...
> Inge ißt/trinkt am liebsten ...
> Inge schmeckt/schmecken ... gut.
> Inge schmeckt/schmecken ... am besten.

94

Herr Superdick

(Gezeichnet von Anna-Maria, 12 Jahre)

① Herr Superdick will nicht aussehen wie die anderen. „Dicksein ist prima!" sagt er und will immer dicker werden. Er ißt und ißt immer mehr.

② Zum Frühstück kauft er 10 Flaschen Milch. Er macht die Flaschen auf und trinkt sie alle aus. Dann kauft er 10 Brötchen, 3 Brote, Kekse, 10 Würste, 5 Gläser Marmelade und Honig, 4 Kuchen und 2 Torten. Auf die Brötchen und die Brote legt er die Würste und ißt sie alle auf. Die Kekse ißt er mit Marmelade und Honig. Aber am liebsten mag er die Kuchen und Torten. Er ißt sie alle auf.

③ Nun ist er satt und müde. Er schläft ein bißchen.

④ Um 12 Uhr steht er auf und hat schon wieder Hunger. Zum Mittagessen kocht er 10 Hühner und 5 Kilo Kartoffeln. Er ißt sie alle auf. Aber er ist immer noch nicht satt. Er will noch 7 Tomaten, 6 Äpfel und 6 Joghurts. Er ißt sie alle auf.

⑤ Jetzt ist er satt und müde. Er schläft ein bißchen.

⑥ Um 6 Uhr abends hat er schon wieder Hunger. Zum Abendessen macht er 10 Käsebrote und 10 Wurstbrote. Er macht auch 8 Tassen Tee und trinkt sie alle aus. Aber er ist noch nicht satt. Er ißt und ißt und ißt immer mehr.

⑦ Plötzlich weint Herr Superdick und schreit: „Aua, aua, mein Bauch tut weh!" Er ruft den Arzt an.
Der Arzt sagt:

So, so. Dann kommen Sie doch morgen mal vorbei!

◇ **A6** *Erzähle nun über einen Tag von Herrn Superdick und schreib in dein Heft:*

Was ißt er alles?
Was trinkt er alles?
Was macht er alles?

AB, S. 109

Rezepte aus Xanadus Kochbuch

DRACHENSUPPE

1 Kilo Drachenzähne

3 Löffel Salz

1 Liter Drachensaft

5 Zauberäpfel

1 Nashornschwanz

1. Die Drachenzähne und das Salz in den Drachensaft geben.
2. Die Suppe 10 Stunden kochen.
3. Die Zauberäpfel schälen und sie in die Suppe geben.
4. Den Nashornschwanz klein schneiden und ihn in die Suppe geben.
5. Einen Hexenbesen nehmen und die Suppe gut umrühren.
6. Die Suppe noch einmal 1 Stunde kochen.

HEXENSALAT

1 Kilo Zauberblumen

6 Flamingoeier

6 Tomaten

1 Löffel Salz

1 Tasse Pflanzenmilch

1. Die Zauberblumen klein schneiden.
2. Die Flamingoeier kochen und dann klein schneiden.
3. Die Tomaten schälen und sie klein schneiden.
4. Alles in eine Schüssel geben.
5. Salz in den Salat geben und die Pflanzenmilch über den Salat gießen.
6. Den Salat gut umrühren.

ZAUBERJOGHURT

3 Becher Joghurt

6 Löffel Sternmarmelade

6 Löffel Sonnenhonig

1 Mondschokolade

1. Die Joghurts in eine Schüssel geben.
2. Die Sternmarmelade und den Sonnenhonig in das Joghurt geben.
3. Die Mondschokolade klein schneiden und sie in das Joghurt geben.
4. Alles gut umrühren.

DIXILANDKUCHEN

10 Löffel Löwenbutter

5 Schlangeneier

10 Löffel Zucker

10 Tassen Mehl

4 Tassen Elefantenmilch

1. Die Löwenbutter, die Schlangeneier, den Zucker, das Mehl und die Elefantenmilch in eine Schüssel geben.
2. Alles gut umrühren und alles in eine Kuchenform geben.
3. Den Kuchen 6 Stunden backen.

So machst du Drachensuppe:
1. Gib die Drachenzähne und das Salz in den Drachensaft!
2. Koche die Suppe 10 Stunden!
3. Schäle die Zauberäpfel und gib sie in die Suppe!
4. Schneide den Nashornschwanz klein und gib ihn in die Suppe!
5. Nimm einen Hexenbesen und rühre die Suppe gut um!
6. Koche die Suppe noch einmal 1 Stunde!

A7 *Erkläre Dixi auch die anderen Rezepte:*

· So machst du Hexensalat: ...

· So machst du Zauberjoghurt: ...

· So machst du Dixilandkuchen: ...

A8 *Spielt den Dialog im Fernsehen:*

Frau Oberhexe, wie macht man Drachensuppe?

Man gibt die Drachenzähne und das Salz in den Drachensaft. Man kocht ...

Montag, 26. Juli

1. Programm

12.00 <u>Xanadu als Fernsehkoch</u>
Oberhexe Xanadu erklärt Hexenrezepte:
· Drachensuppe
· Hexensalat
· Zauberjoghurt
· Dixilandkuchen

Was möchtest du essen?
Was soll ich für dich bringen?

Ich möchte Suppe.
Für mich bitte Drachensuppe.

Und was möchtest du trinken?
Was soll ich für dich bringen?

Ich möchte Saft.
Für mich bitte Drachensaft.

A9 *Spielt den Dialog weiter mit:*

Kuchen	→ Zauberkuchen		Kaffee	→ Tigerkaffee
Tee	→ Zaubertee		Limonade	→ Zauberlimonade
Salat	→ Zaubersalat		Torte	→ Drakulatorte
Eis	→ Hokuspokuseis		Kakao	→ Blumenkakao
Brot	→ Schlangenbrot		Joghurt	→ Drachenjoghurt

Und ihr?
Was möchtet ihr essen? Was möchtet ihr trinken?
Was soll ich für euch bringen?

Wir möchten Salat
Für uns bitte Zaubersalat.

Was möchtet ihr trinken?
Was soll ich für euch bringen?

Wir möchten Saft.
Für uns bitte Hexensaft.

◇ **A10** *Spielt den Dialog weiter und erfindet selbst Speisen und Getränke:*

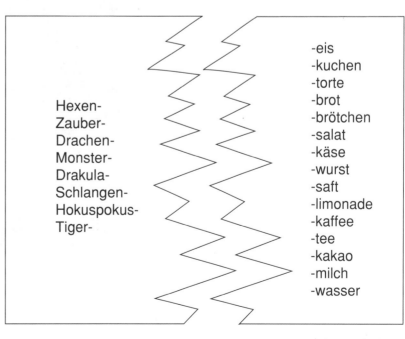

Hexen-
Zauber-
Drachen-
Monster-
Drakula-
Schlangen-
Hokuspokus-
Tiger-

-eis
-kuchen
-torte
-brot
-brötchen
-salat
-käse
-wurst
-saft
-limonade
-kaffee
-tee
-kakao
-milch
-wasser

Das erste Kinderrestaurant in Europa

Das *Kinderrestaurant* ist das erste Restaurant für Kinder in Europa.

Die meisten Kinder kochen gern und wollen Mutter helfen. Sie können aber viele Sachen noch nicht machen und brauchen Mutters Hilfe. Doch oft arbeiten die Mütter und haben nicht so viel Zeit. Sie machen die Küchenarbeit lieber allein.

Im *Kinderrestaurant* können die Kinder viel lernen. Die Küchenarbeit machen sie dort ganz allein. Das *Kinderrestaurant* ist die Idee von Frau Wolf und Frau Schneider. Frau Wolfs und Frau Schneiders Kinder sind schon groß. Die beiden Frauen haben viel Zeit und kochen gern. Sie kaufen jeden Tag für das Kinderrestaurant ein und sind verantwortlich für das Geld.

Die Kinder und Frau Wolf überlegen zusammen die Speisekarte. Jeden Tag können 6 Kinder im Kinderrestaurant arbeiten. 3 Kinder sind verantwortlich für die Küchenarbeit und kochen. 3 Kinder decken die Tische, bedienen die Gäste und räumen die Tische ab. Am Abend räumen alle zusammen auf, machen sauber und waschen das Geschirr ab.

Heute ist Samstag. Es gibt Hühnersuppe, Kartoffelsuppe, Nudeln, Tomatensalat, Apfelkuchen und Schokoladeneis. Trinken kann man Saft, Limonade, Kakao, Milch oder Tee.

Ein Nudelgericht kommt jeden Tag auf die Speisekarte. Für fast alle Kinder sind Nudeln das Lieblingsessen.

Und die Gäste?

Das sind fast immer Eltern, Großeltern, Onkel und Tanten, Geschwister und Freunde. Die Gäste essen alle Gerichte gern. Im Restaurant gibt es 30 Plätze. Jeden Tag kommen viele Gäste, und alle finden: „Das *Kinderrestaurant* ist toll! Die Idee ist prima!"

A11 › *Kreuze an, was richtig ist.*

IM KINDERRESTAURANT ...

a	... sind die Kinder verantwortlich für die Küchenarbeit und lernen kochen.
b	... sind die Kinder verantwortlich für das Geld und kaufen ein.
c	... sind die Kinder verantwortlich für die Speisekarte und sind die Gäste.
d	... sind die Kinder verantwortlich für alle Sachen und finden die Idee prima.

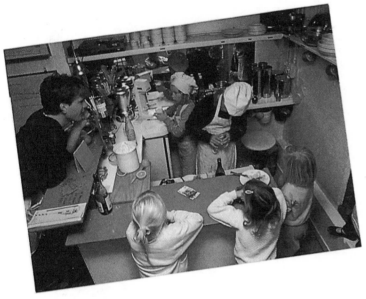

A12 › *Für wen trifft das zu? Kreuze an.*

	alle Gerichte gern essen	eine gute Idee sein	die Speisekarte überlegen	gern kochen	aufräumen	30 Plätze haben	das Geschirr abwaschen	einkaufen	die Tische decken	für das Geld verantwortlich sein	Küchenarbeit machen	viel Zeit haben
das Kinderrestaurant												
Frau Wolf												
Frau Schneider												
die Kinder												
die Gäste												

Erzähle nach der Tabelle über das Kinderrestaurant.

*Hier ist der Speiseplan vom **Kinderrestaurant:***

Mai   1. Woche

		Montag Ruhetag	Dienstag Ruhetag	Mittwoch	Donnerstag	Freitag	Samstag	Sonntag
Suppen	Hühnersuppe					X		
	Kartoffelsuppe						X	
	Tomatensuppe				X			X
	Nudelsuppe			X				
Hauptgerichte	Huhn mit Kartoffeln				X			
	Huhn mit Nudeln					X		
	Nudeln mit Tomatensoße						X	
	Fleisch mit Kartoffeln			X				X
	Fleisch mit Nudeln							X
Salate	Tomatensalat				X	X		X
	Eiersalat							X
	Käsesalat						X	
	Wurstsalat			X				
Süßspeisen	Schokoladenkuchen							X
	Apfelkuchen			X				
	Käsekuchen						X	
	Eis			X	X	X	X	X

 A13 *Fragt euch untereinander:*

1. Was für eine Suppe kommt am Mittwoch/Donnerstag/... auf die Speisekarte?

Am Mittwoch/Donnerstag/... kommt Nudelsuppe auf die Speisekarte.

2. Was für ein Hauptgericht kommt am Mittwoch/Donnerstag/... auf die Speisekarte?

3. Was für ein Salat kommt am Mittwoch/Donnerstag/... auf die Speisekarte?

4. Was für eine Süßspeise kommt am Mittwoch/Donnerstag/... auf die Speisekarte?

A14 *Fragt euch untereinander: Was gibt es am Mittwoch/Donnerstag/...?*

A15 *Wir spielen **Kinderrestaurant.***
Ein Kind ist der Kellner und ein Kind ist der Gast:

Was für eine Suppe willst du?
Was für ein Hauptgericht willst du?
Was für einen Salat möchtest du?
Was für eine Süßspeise willst du?
Was für ein Getränk möchtest du?

	Nominativ maskulin	
Nomen	Der Kuchen Ein Kuchen	macht dick. ist kein Salat.
Pronomen 3. Person Sg.	**Er**	schmeckt aber gut.

	Akkusativ maskulin	
Herr Superdick möchte Herr Superdick backt	den Kuchen. einen Kuchen.	Nomen
Herr Superdick ißt	**ihn.**	Pronomen 3. Person Sg.

	Nominativ feminin	
Nomen	Die Torte Eine Torte	macht dick. ist keine Suppe.
Pronomen 3. Person Sg.	**Sie**	schmeckt aber gut.

	Akkusativ feminin	
Herr Superdick möchte Herr Superdick macht	die Torte. eine Torte.	Nomen
Herr Superdick ißt	**sie.**	Pronomen 3. Person Sg.

	Nominativ neutral	
Nomen	Das Joghurt Ein Joghurt	macht dünn. ist keine Torte.
Pronomen 3. Person Sg.	**Es**	schmeckt aber nicht so gut.

	Akkusativ neutral	
Herr Superdick braucht Herr Superdick kauft	das Joghurt. das Joghurt.	Nomen
Herr Superdick ißt	**es.**	Pronomen 3. Person Sg.

Mache Sätze wie in der Tabelle mit:

der Salat, die Suppe, das Eis, der Saft, die Tomate, das Brot, der Käse, die Schokolade, das Brötchen

machen, backen, kochen, kaufen, trinken, essen

	Nominativ	
Nomen	Die Würste Würste	machen dick. sind keine Tomaten.
Pronomen 3. Person Pl.	**Sie**	schmecken aber gut.

	Akkusativ	
Herr Superdick möchte Herr Superdick kauft	die Würste. Würste.	Nomen
Herr Superdick ißt	**sie.**	Pronomen 3. Person Pl.

Mache Sätze wie in der Tabelle mit:

die Eier, die Brote, die Hühner, die Äpfel

machen, backen, kochen, trinken, essen

B3 Personalpronomen: 1. und 2. Person Singular und Plural Nominativ und Akkusativ

	Pronomen 1. Pers. Sg.	
Nominativ	**Ich**	sehe fern.
Mutter ruft	**mich.**	Akkusativ

	Pronomen 2. Pers. Sg.	
Nominativ	**Du**	siehst fern.
Mutter ruft	**dich.**	Akkusativ

	Pronomen 1. Pers. Pl.	
Nominativ	**Wir**	sehen fern.
Mutter ruft	**uns.**	Akkusativ

	Pronomen 2. Pers. Pl.	
Nominativ	**Ihr**	seht fern.
Mutter ruft	**euch.**	Akkusativ

Mache Sätze wie in der Tabelle mit:

spielen, Hausaufgaben machen, basteln, lesen, Radio hören

B4 Personalpronomen: Nominativ und Akkusativ

	Nominativ	Akkusativ
1. Pers. Sg.	ich	mich
2. Pers. Sg.	du	dich
3. Pers. Sg.	er sie es	ihn sie es
1. Pers. Pl.	wir	uns
2. Pers. Pl.	ihr	euch
3. Pers. Pl.	Sie sie	Sie sie

Nominativ Singular maskulin	Der Name ist Willi Frosch. **Was für ein** Name ist das? Ein Froschname.
Nominativ Singular feminin	Die Familie heißt Frosch. **Was für eine** Familie ist das? Eine Froschfamilie.
Nominativ Singular neutral	Das Haus ist am See. **Was für ein** Haus ist das? Ein Froschhaus.
Nominativ Plural mask./fem./neutr.	Die Kinder spielen unter Wasser. **Was für** Kinder sind das? Froschkinder.

Akkusativ Singular maskulin	Sie fahren den Wagen. **Was für einen** Wagen fahren sie? Einen Froschwagen.
Akkusativ Singular feminin	Sie besuchen die Schule. **Was für eine** Schule besuchen sie? Eine Froschschule.
Akkusativ Singular neutral	Sie spielen das Spiel. **Was für ein** Spiel spielen sie? Ein Froschspiel.
Akkusativ Plural mask./fem./neutr.	Sie singen Lieder. **Was für** Lieder singen sie? Froschlieder.

Erzähle jetzt eine Hexengeschichte: Name: Dixi Hexenfix
Haus: in Dixiland
Spielplatz: im *Deutschmobil*

und noch eine Zaubergeschichte: Name: Pino Pimpernelle
Haus: in Zauberland
Spielplatz: im *Deutschmobil*

Lektion 9

 # Herr Superdick ist krank

Herr Superdick hat immer noch Bauchschmerzen. Er geht zu Doktor Meier. Der Arzt fragt ihn:

Was fehlt Ihnen denn, Herr Superdick?

Mein Bauch tut mir so weh. Ich habe immer Bauchschmerzen.

Dann ziehen Sie doch mal die Jacke aus!

Doktor Meier befühlt den Bauch.

Hmm, fehlt Ihnen noch etwas?

Ja, mein Kopf tut mir so weh. Ich habe immer Kopfschmerzen.

Dann setzen Sie doch mal den Hut ab!

Doktor Meier befühlt den Kopf.

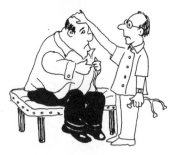

Hmm, fehlt Ihnen noch etwas?

Ja, mein Rücken tut mir so weh. Ich habe immer Rückenschmerzen.

Dann ziehen Sie doch mal das Hemd aus!

Doktor Meier befühlt den Rücken.

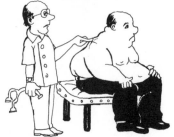

Tja, Herr Superdick, Sie sind zu dick und zu schwer.
Sie essen zuviel, Sie schlafen zuviel und Sie laufen zuwenig.

Ich will wieder gesund werden. Was muß ich denn machen, Herr Doktor?

Sie dürfen keinen Kuchen, keine Torte, kein Brot und
keine Wurst mehr essen. Sie müssen Diät machen.
Dann tut Ihnen auch der Bauch nicht mehr weh.

Ja, Herr Doktor, ich will es versuchen!

Sie dürfen keinen Kaffee mehr trinken. Sie dürfen auch nicht
mehr rauchen. Dann tut Ihnen auch der Kopf nicht mehr weh.

Ja, Herr Doktor, ich will es versuchen!

Sie dürfen nicht so viel schlafen. Sie dürfen nicht so
viel sitzen. Sie müssen Sport machen. Sie müssen viel
laufen. Dann tut Ihnen auch der Rücken nicht mehr weh.

Ja, Herr Doktor, ich will es versuchen!

★ **A1** *Spielt nun den Dialog.*

Gut, dann kommen Sie in zwei Wochen wieder.

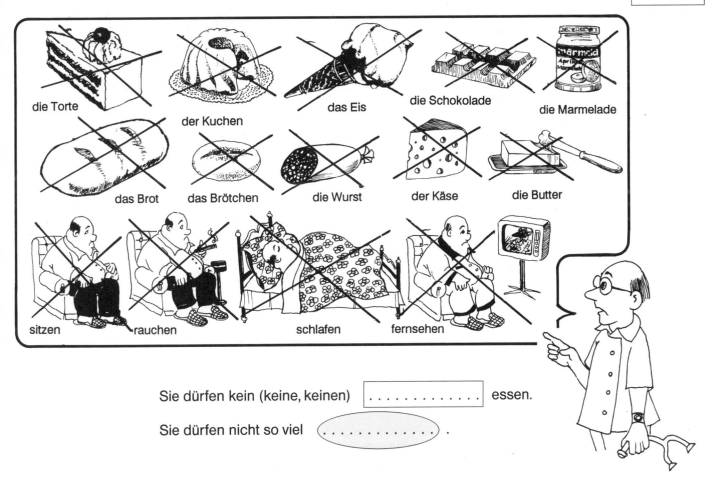

die Torte · der Kuchen · das Eis · die Schokolade · die Marmelade

das Brot · das Brötchen · die Wurst · der Käse · die Butter

sitzen · rauchen · schlafen · fernsehen

Sie dürfen kein (keine, keinen) .... essen.

Sie dürfen nicht so viel ....

★ **A3** *Was sagt der Arzt? Was **muß** Herr Superdick machen?*

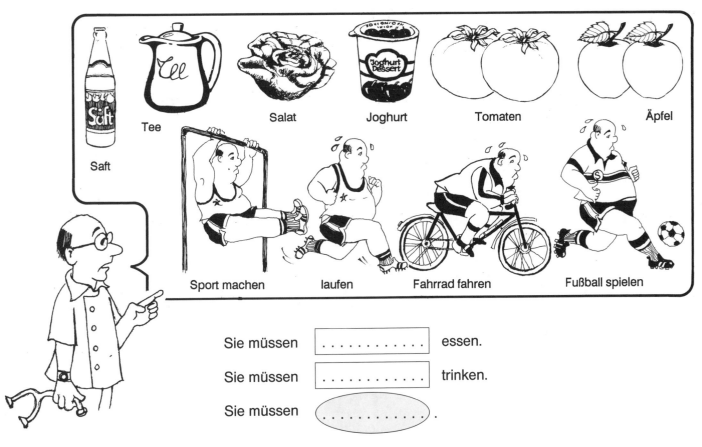

Saft · Tee · Salat · Joghurt · Tomaten · Äpfel

Sport machen · laufen · Fahrrad fahren · Fußball spielen

Sie müssen .... essen.

Sie müssen .... trinken.

Sie müssen ....

Sprechstunde bei Kinderarzt Dr. Fröhlich

① Was fehlt **dir** denn? Hast **du** Schmerzen?

Es geht **mir** nicht gut. Der Kopf tut **mir** weh.

Bleib mal im Bett und nimm die Medizin hier! Dann geht es **dir** bald besser.

② Was fehlt **dir** denn? Hast **du** Schmerzen?

Es geht **mir** nicht gut. Die Ohren tun **mir** weh.

Bleib mal im Bett und nimm die Medizin hier! Dann geht es **dir** bald besser.

③ Was fehlt **ihm** denn? Hat **er** Schmerzen?

Ja, der Bauch tut **ihm** weh.

Er muß im Bett bleiben und die Medizin nehmen. Dann geht es **ihm** bald besser.

④ Was fehlt **ihr** denn? Hat **sie** Schmerzen?

Ja, der Kopf tut **ihr** weh.

Sie muß im Bett bleiben und die Medizin nehmen. Dann geht es **ihr** bald besser.

⑤ Was fehlt **ihm** denn? Hat **das** Baby Schmerzen?

Ja, die Ohren tun **ihm** weh.

Es muß im Bett bleiben und die Medizin nehmen. Dann geht es **ihm** bald besser.

⑥ Was fehlt **ihnen** denn? Haben **sie** Schmerzen?

Ja, der Bauch tut **ihnen** weh.

Sie müssen die Medizin nehmen. Dann geht es **ihnen** bald besser.

★ **A4** *Spielt weiter Sprechstunde (ein Schüler ist der Arzt, die anderen sind die Patienten und die Eltern) mit folgenden Körperteilen:*

der Kopf

der Hals

die Nase

das Ohr

die Ohren

das Auge

die Augen

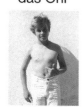
die Brust

der Bauch

der Rücken

der Arm

die Hand

der Finger

das Bein

der Fuß

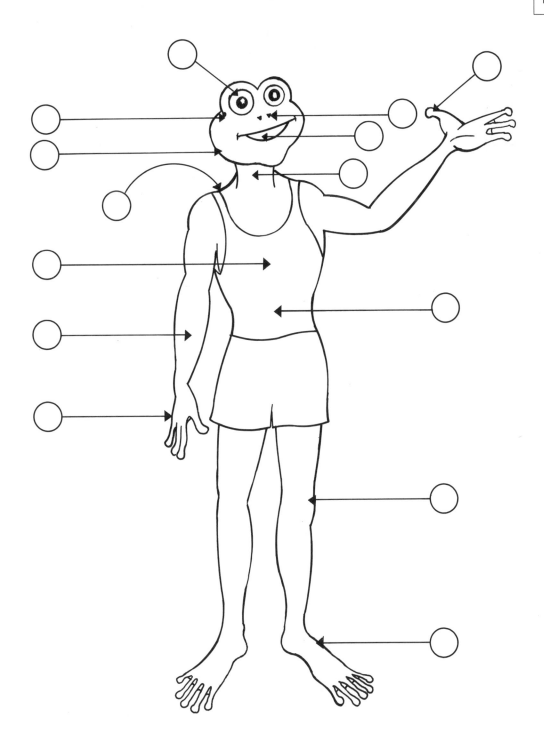

★ **A5** *Trage die richtigen Nummern ein.*

① die Hand   ⑥ das Ohr   ⑪ der Finger

② der Arm   ⑦ das Auge   ⑫ der Bauch

③ die Brust   ⑧ die Nase   ⑬ das Bein

④ der Rücken   ⑨ der Mund   ⑭ der Fuß

⑤ der Kopf   ⑩ der Hals

Herr Dr. Fröhlich, wann ist denn ein Kind krank?

Ein Kind ist krank,

wenn	es immer müde (ist).
wenn	es keinen Appetit (hat).
wenn	es Fieber (hat).
wenn	es Schmerzen (hat).
wenn	es nichts (ißt).
wenn	es Bauchschmerzen (hat).
wenn	es Ohrenschmerzen (hat).
wenn	es Kopfschmerzen (hat).
wenn	es Halsschmerzen (hat).

★ | **A6** | *Was meinst du? Wann muß ein Kind im Bett bleiben?*
Wähle oben aus und erzähle:

Ein Kind muß im Bett bleiben, wenn . . . . (. . . . .)

Wie ist das, wenn du krank bist?

Das ist gar nicht so schlimm, wenn ich krank bin.
Meine Oma kommt, wenn meine Mutter arbeitet und nicht da ist.
Ich finde es ganz toll, wenn Oma da ist. Sie liest dann
Geschichten vor. Manchmal basteln wir auch. Sie bringt immer
etwas mit. Es ist nie langweilig, wenn ich krank bin.

Klaus

Ich finde es ganz blöd, wenn ich im Bett bleiben muß.
Es ist so langweilig, wenn keiner kommt und mit mir
spielt. Ganz schlimm ist es, wenn ich Fieber habe.
Dann darf ich nicht aufstehen. Ich muß immer Tee
trinken und Medizin nehmen.
Ich finde es viel besser, wenn ich gesund bin.

Uwe

Kranksein ist blöd, wenn ich Schmerzen habe.
Mir geht es dann schlecht, und ich kann nicht spielen.
Gut finde ich es, wenn ich nur ein bißchen krank bin.
Also wenn ich nur ein bißchen Fieber habe oder so.
Dann darf meine Freundin kommen, und mir geht es gleich
besser. Wir erzählen über die Schule, und sie erklärt die
Hausaufgaben. Wir spielen auch zusammen oder sehen fern.
Kranksein ist ganz schön, wenn man nicht allein ist und
keine Schmerzen hat.

Sandra

A7 Was finden Klaus, Uwe und Sandra gut/blöd, wenn sie krank sind?
Erzähle mit Hilfe des Schüttelkastens:

Klaus Uwe Sandra	findet es gut, findet es blöd,	wenn	er sie	eine Geschichte hören kann. krank ist. Fieber hat. nicht spielen kann. Medizin nehmen muß. nicht allein ist. mit Oma basteln kann. im Bett bleiben muß. fernsehen kann. Schmerzen hat. Tee trinken muß. gesund ist. nicht aufstehen darf. nur ein bißchen krank ist.

Was findest du gut, wenn du krank bist?
Was findest du blöd, wenn du krank bist?

★ **A8** Wähle aus dem Kasten aus und erzähle:

1. Ich muß nicht in die Schule gehen.
2. Ich darf nicht aufstehen.
3. Ich muß Medizin nehmen.
4. Ich muß im Bett bleiben.
5. Ich darf nicht spielen.
6. Ich muß keine Hausaufgaben machen.
7. Ich kann viel schlafen.
8. Ich muß nicht aufräumen.
9. Ich kann nicht rausgehen.
10. Ich muß allein sein.
11. Ich muß Tee trinken.
12. Ich muß Diät machen.
13. Ich kann Kassetten hören.
14. Ich kann viel lesen.

Ich finde es gut, wenn ich nicht in die Schule gehen muß.

Ich finde es blöd, wenn ich nicht aufstehen darf.

Frau Grau ist krank

1. Frau Grau muß heute im Bett bleiben. Sie hat Fieber.
   Sie hat auch Kopfschmerzen und Halsschmerzen.
   Sie ist sehr müde und kann nicht aufstehen.

2. Herr Grau muß heute die Küchenarbeit machen. Andreas
   und Karin helfen ihm. Herr Grau kocht Kaffee. Karin
   rührt den Kakao um, und Andreas schneidet das Brot.
   Da ruft Karin: „Hilfe, der Kakao!"
   Und Andreas schreit: „Aua, mein Finger!"

3. Die Kinder laufen ins Schlafzimmer.
   „Mama, hilf uns! Wir brauchen dich."
   „Was ist denn los? Ich kann euch nicht helfen.
   Geht zu Papa!"

4. Dann räumt Herr Grau die Küche auf. Karin wäscht das
   Geschirr ab, und Andreas stellt das Geschirr in den
   Schrank. Da ruft Karin: „Hilfe, die Tasse ist kaputt!"
   Und Andreas schreit: „Die Gläser sind kaputt!"

5. Die Kinder laufen ins Schlafzimmer.
   „Mama, hilf uns! Wir brauchen dich."
   „Was ist denn los? Ich kann euch nicht helfen.
   Geht zu Papa!"

6. Nun macht Herr Grau die Küche sauber. Die Kinder
   helfen ihm. Plötzlich stolpert Andreas und schreit:
   „Hilfe, der Eimer!" Andreas fällt hin, Herr Grau fällt
   hin, und Karin fällt auch hin. Überall ist Wasser.
   Alle werden naß.

7. Die Kinder laufen ins Schlafzimmer.
   „Mama, hilf uns! Wir brauchen dich."
   „Was ist denn los? Ich kann euch nicht helfen.
   Geht zu Papa!"
   „Papa kann uns nicht helfen. Der Fuß tut ihm weh.
   Er kann nicht mehr aufstehen."
   „Schon gut. Dann muß ich euch ja helfen. Ich komme."

A9 ⟩ *Welcher Textabschnitt paßt zu welchem Bild?*
Trage die richtigen Nummern ein.

Familie Grau ist krank. Oma kommt zu Besuch

> Was fehlt _dir_ denn?

> Ich habe Fieber. Der Kopf tut _____ weh.
> Der Hals tut _____ auch weh.
> _____ geht es gar nicht gut. Ich bin so müde.

> Kann ich _____ helfen?

> Danke, nein. Frag mal die Kinder!

> Was fehlt _____ denn?

> Der Finger tut _____ weh.

> Kann ich _____ helfen?

> Danke, nein. Frag mal Papa!

> Und was fehlt _____ ?

> Das Bein tut _____ weh.
> Der Fuß tut _____ auch weh. Ich kann nicht aufstehen.
> Ich kann nicht laufen. _____ geht es ganz schlecht.

> Kann ich _____ helfen?

> Ja, bitte, bleib heute hier und hilf uns.

Bei Familie Grau ist alles kaputt

1. Der Wasserhahn ist kaputt.
2. Der Herd ist kaputt.
3. Das Radio ist kaputt.
4. Der Mixer ist kaputt.
5. Die Lampe ist kaputt.
6. Die Uhr ist kaputt.
7. Das Telefon ist kaputt.
8. Die Eisenbahn ist kaputt.
9. Der Roboter ist kaputt.
10. Das Fahrrad ist kaputt.

> Papa, hilf uns! Der Wasserhahn ist kaputt.

> Ich kann euch nicht helfen.
> Oma muß euch helfen.
> Ich kann nicht aufstehen.

A11 | *Setzt den Dialog fort.*

AB, S. 109

Im Krankenhaus

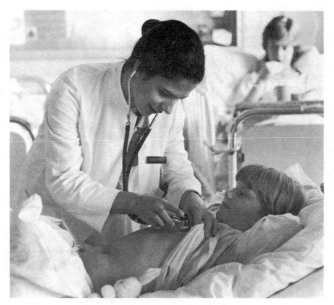

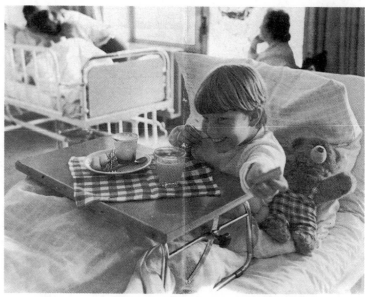

① Monika ist krank. Sie ist im Krankenhaus. Die Ärztin untersucht Monika. Die Ärztin ist sehr nett. Monika hat keine Angst.

② Sie darf morgen schon aufstehen, wenn es ihr besser geht. Das Essen schmeckt Monika prima.

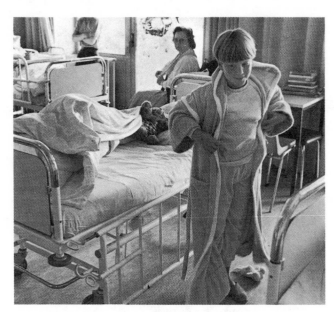

③ Heute darf Monika ins Spielzimmer. Sie ist noch ein bißchen schwach und kann nicht so schnell gehen.

④ Monika nimmt den Teddy mit. Dann trifft sie Tim. Er ist schon eine Woche im Krankenhaus. Es geht ihm aber viel besser.

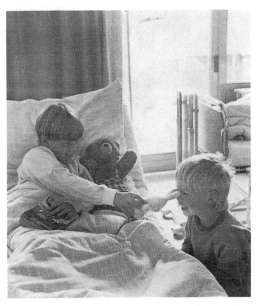

⑤ Monika und Tim gehen zusammen ins Spielzimmer. Dann muß Monika ins Bett zurück.

⑥ Tim kommt mit ins Zimmer. Wenn Tim da ist, ist Kranksein gar nicht so langweilig.

A12	*Was paßt zusammen? Trage unten in die Tabelle ein.*

1. Man muß ins Krankenhaus, 2. Die Ärztin ist immer nett, 3. Monika hat keine Angst, 4. Monika darf aufstehen, 5. Monika muß gut essen, 6. Monika nimmt den Teddy mit, 7. Monika und Tim dürfen ins Spielzimmer, 8. Tim und Monika finden es toll, 9. Monika findet es nicht langweilig, 10. Es ist gar nicht so schlimm,	wenn	a) sie gesund werden will. b) sie ins Spielzimmer geht. c) sie die Kranken untersucht. d) es ihnen besser geht. e) die Ärztin sie untersucht. f) man ins Krankenhaus muß. g) sie zusammen spielen können. h) es ihr besser geht. i) Tim da ist. k) man sehr krank ist.

1	2	3	4	5	6	7	8	9	10

Wir bauen ein Baumhaus

1. Pers. Sg.	Ich	baue ein Baumhaus.
	Du hilfst mir .	
2. Pers. Sg.	Du	baust den Tisch.
	Klaus hilft dir .	
3. Pers. Sg./mask.	Er	trägt den Werkzeugkasten.
	Inge hilft ihm .	
3. Pers. Sg./fem.	Sie	bindet das Seil fest.
	Das Mädchen hilft ihr .	
3. Pers. Sg./neutr.	Es	baut einen Stuhl.
	Wir helfen ihm .	
1. Pers. Pl.	Wir	binden den Reifen fest.
	Ihr helft uns .	
2. Pers. Pl.	Ihr	tragt die Kiste.
	Inge und Klaus helfen euch .	
3. Pers. Pl.	Sie	binden die Uhr fest.
	Frau Kramer hilft ihnen . Sie bringt eine Schokoladentorte und sagt:	

„Wer hilft mir   aufessen?" Alle Kinder rufen:

„Frau Kramer, wir helfen Ihnen ."

Setze die passenden Personalpronomen ein.

Wir bauen ein Spielmobil

Ulla bringt einen Teppich.
Ich helfe _____ .

Ich trage den Tisch.
Bernd hilft _____ .

Er legt den Teppich über den Tisch.
Du hilfst _____ .

Du stellst die Stühle auf den Tisch.
Wir helfen _____ .

Wir klettern auf die Stühle.
Ihr helft _____ .

Wir binden das Seil fest.
Vater hilft _____ .

Er macht die Lampe fest.
Bernd und Ulla helfen _____ .

Sie klettern auf das Spielmobil.
Wir helfen _____ .

Da kommt Oma. Sie lacht und sagt:

Wenn Mutti kommt, müßt ihr aufräumen.
Ich helfe _____ dann.

B2 › *Personalpronomen: Übersicht*

	Nominativ	Akkusativ	Dativ
1. Pers. Sg.	ich	mich	mir
2. Pers. Sg.	du	dich	dir
3. Pers. Sg.	er	ihn	ihm
	sie	sie	ihr
	es	es	ihm
1. Pers. Pl.	wir	uns	uns
2. Pers. Pl.	ihr	euch	euch
3. Pers. Pl.	Sie	Sie	Ihnen
	sie	sie	ihnen

B3 › *Modalverben: Konjugation Präsens*

Infinitiv	wollen	können	sollen	müssen	dürfen
1. Pers. Sg.	ich will	ich kann	ich soll	ich muß	ich darf
2. Pers. Sg.	du willst	du kannst	du sollst	du mußt	du darfst
3. Pers. Sg.	er will	er kann	er soll	er muß	er darf
	sie will	sie kann	sie soll	sie muß	sie darf
	es will	es kann	es soll	es muß	es darf
1. Pers. Pl.	wir wollen	wir können	wir sollen	wir müssen	wir dürfen
2. Pers. Pl.	ihr wollt	ihr könnt	ihr sollt	ihr müßt	ihr dürft
3. Pers. Pl.	Sie wollen	Sie können	Sie sollen	Sie müssen	Sie dürfen
	sie wollen	sie können	sie sollen	sie müssen	sie dürfen

B4 › *Nebensätze: wenn-Sätze*

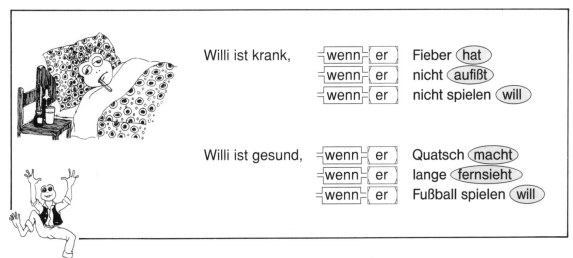

Willi ist krank, ⊣wenn⊢ er Fieber (hat)
⊣wenn⊢ er nicht (aufißt)
⊣wenn⊢ er nicht spielen (will)

Willi ist gesund, ⊣wenn⊢ er Quatsch (macht)
⊣wenn⊢ er lange (fernsieht)
⊣wenn⊢ er Fußball spielen (will)

Wann ist Willi krank? Wann ist Willi gesund?
Erzähle: Willi ist krank, wenn ...
Willi ist gesund, wenn ...

Bauchschmerzen haben	Medizin nehmen müssen
keinen Appetit haben	viel Torte essen können
aufräumen	in Deutsch aufpassen
Pudding kochen	viel Hausaufgaben machen müssen
nicht essen wollen	

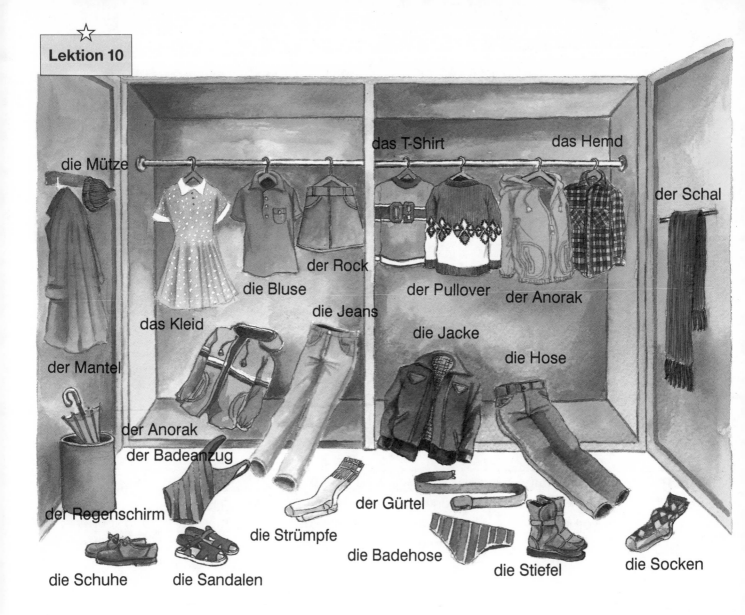

die Mütze · das T-Shirt · das Hemd · der Schal · die Bluse · der Rock · der Pullover · der Anorak · das Kleid · die Jeans · die Jacke · die Hose · der Mantel · der Anorak · der Badeanzug · der Gürtel · der Regenschirm · die Strümpfe · die Badehose · die Stiefel · die Socken · die Schuhe · die Sandalen

Familie Berger will in die Ferien fahren.
Herr und Frau Berger packen den Koffer für Sabine und Wolfgang.

Gib mir Sabines Anorak!	Hier ist ihr Anorak.
Gib mir Wolfgangs Anorak!	Hier ist sein Anorak.
Gib mir Sabines Hose!	Hier ist ihre Hose.
Gib mir Wolfgangs Hose!	Hier ist seine Hose.
Gib mir Sabines Kleid!	Hier ist ihr Kleid.
Gib mir Wolfgangs Hemd!	Hier ist sein Hemd.
Gib mir Sabines Schuhe!	Hier sind ihre Schuhe.
Gib mir Wolfgangs Stiefel!	Hier sind seine Stiefel.

☆ **A1** *Packt nun auch die anderen Kleidungsstücke ein und setzt den Dialog fort.*

Wo sind die Sachen?

Wo ist denn unser Wasserball?

Wo ist denn unsere Taschenlampe?

> Hier ist er.
> Keine Angst, euer Wasserball kommt auch noch in den Koffer.

> Hier ist sie.
> Keine Angst, eure Taschenlampe kommt auch noch in den Koffer.

Wo ist denn unser Badezeug?

Wo sind denn unsere Schwimmflossen?

> Hier ist es.
> Keine Angst, euer Badezeug kommt auch noch in den Koffer.

> Hier sind sie.
> Keine Angst, eure Schwimmflossen kommen auch noch in den Koffer.

☆ **A2** *Setzt den Dialog fort mit:* der Kassettenrecorder, die Kassetten, das Malzeug, der Malblock, die Filzstifte, das Briefpapier, der Ball, die Schere, der Klebstoff, das Bastelbuch

Das Wetter

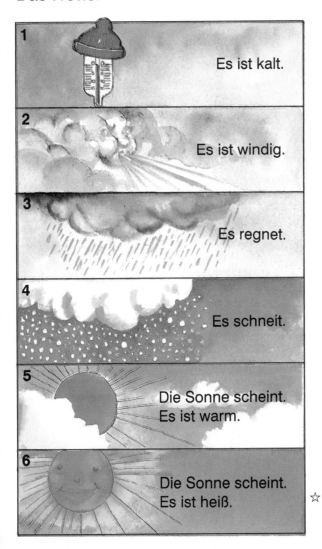

1 Es ist kalt.

2 Es ist windig.

3 Es regnet.

4 Es schneit.

5 Die Sonne scheint. Es ist warm.

6 Die Sonne scheint. Es ist heiß.

Willis Wetterbericht

☆ **A3** *Kannst du Willis Wetterbericht verstehen? Trage die richtige Nummer ein und erzähle Willis Wetterbericht (von ① - ⑥).*

 **1** Es ist kalt.

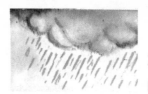 **2** Es regnet.

3 Es ist heiß.

☆ **A4** ⟩ Was ziehst du an, was brauchst du, *wenn es kalt ist?*
wenn es regnet?
wenn es heiß ist?

Trage die passenden Nummern ein:

○ die Stiefel   ○ der Badeanzug   ○ das Hemd

○ das Kleid   ○ der Regenschirm   ○ der Pullover

○ die Badehose   ○ die Schwimmflossen ○ der Rock

○ der Schal   ○ die Strümpfe   ○ die Socken

○ der Mantel   ○ die Sandalen   ○ die Hose

○ die Bluse   ○ die Mütze   ○ die Jacke

○ die Schuhe   ○ die Jeans   ○ der Anorak

○ das T-Shirt   ○ der Gürtel

A5 ⟩ Fragt euch untereinander und antwortet mit Hilfe der Schüttelkästen:

Wann	trägst ziehst brauchst	du	einen eine ein	Kleid? Pullover? Hemd? Bluse? Schal? T-Shirt? Mantel? Regenschirm? Hose? Rock? Mütze? Badeanzug? Badehose? Jacke?	an?	↔	Ich	trage ziehe brauche	einen eine ein	Kleid, Pullover, Hemd, Bluse, Schal, T-Shirt, Mantel, Regenschirm, Hose, Rock, Mütze, Badeanzug, Badehose, Jacke,	an, wenn es kalt ist. an, wenn es regnet. an, wenn es heiß ist.

Wir spielen „Kofferpacken"

Der 1. Schüler sagt: „Ich packe meinen Koffer. Ich packe meinen Anorak ein."
Der 2. Schüler sagt: „Ich packe meinen Koffer. Ich packe meinen Anorak und meine Hose ein."
Der 3. Schüler sagt: „Ich packe meinen Koffer. Ich packe meinen Anorak, meine Hose und mein Hemd ein." usw. ...

Genauso spielen wir:
Ich packe deinen Koffer ...
Ich packe Willis Koffer ...
Ich packe Millis Koffer ...
Ich packe unseren Koffer ...
Ich packe euren Koffer ...
Ich packe Willis und Millis Koffer ...

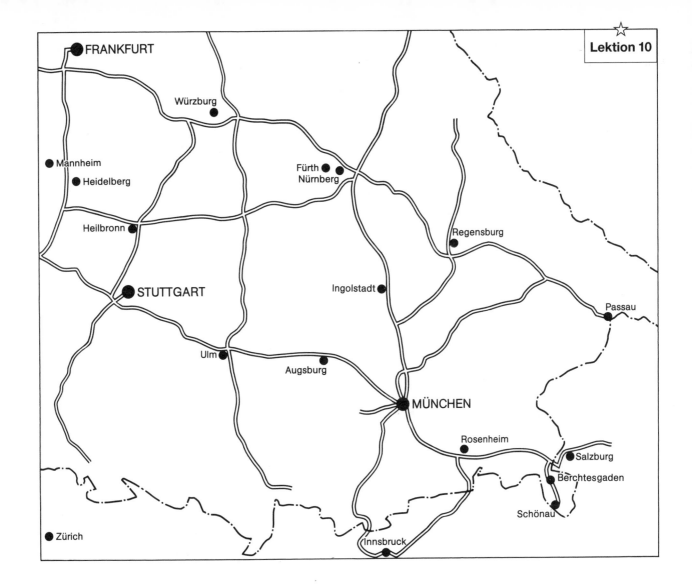

 Familie Berger will verreisen

Bergers wohnen in Frankfurt. Sie fahren morgens um 8 Uhr ab.

Wohin fahren wir zuerst?

Wir fahren zuerst von Frankfurt nach Mannheim.
In Mannheim machen wir eine Pause und trinken etwas.

Wohin fahren wir dann?

Dann fahren wir von Mannheim über Heidelberg nach
Stuttgart. In Stuttgart gibt es Mittagessen.

Fahren wir dann über
Nürnberg weiter?

Nein, das ist ein Umweg. Wir fahren von Stuttgart über Augsburg
nach München. In München schlafen wir bei Tante Sigrid.

Wie fahren wir morgen weiter?

Morgen früh fahren wir von München über Rosenheim
und Berchtesgaden nach Schönau am Königssee.

☆ **A6** ▷ *Zeichne die Reiseroute von
Familie Berger in die Karte ein.*

Wie lange dauert die Fahrt von Frankfurt nach Mannheim?

Etwa eine Stunde.

Wann kommt Familie Berger in Mannheim an?

Etwa um 9 Uhr.

		Fahrtdauer	Abfahrt	Ankunft
Frankfurt	– Mannheim	1 Stunde	8.00 Uhr	9.00 Uhr
Mannheim	– Stuttgart	2 Stunden	10.00 Uhr	12.00 Uhr
Stuttgart	– Augsburg	2 Stunden	13.00 Uhr	15.00 Uhr
Augsburg	– München	1 Stunde	15.00 Uhr	16.00 Uhr
München	– Rosenheim	1 Stunde	9.00 Uhr	10.00 Uhr
Rosenheim	– Berchtesgaden	45 Minuten	10.00 Uhr	10.45 Uhr
Berchtesgaden	– Schönau	15 Minuten	10.45 Uhr	11.00 Uhr

Schönau, d. 12. August

Liebe Tante Sigrid,

wir sind jetzt am Königssee. Auf der Postkarte siehst
Du unsere Pension. Sie heißt "Haus am Forst".
Oben ist das Zimmer von Mutti und Vati. Es hat einen
Balkon mit Blumen. Alle Zimmer im ersten Stock haben
zusammen einen Balkon. In der Mitte ist unser Zimmer.
Unten ist die Terrasse. Da kann man sitzen, wenn die
Sonne scheint. Unten in der Mitte ist eine Treppe.
Vorn ist die Straße. Rechts ist der Parkplatz, und
links ist der Garten. Hinten ist der Wald, und hinten
links sind die Berge. Morgen machen wir einen Ausflug.

Viele Grüße
Deine Sabine

	oben	unten	vorn	hinten	rechts	links	in der Mitte
der Parkplatz							
die Terrasse							
die Treppe							
das Elternzimmer							
das Zimmer von Sabine und Wolfgang							
die Straße							
der Garten							
der Wald							
die Berge							
Balkons							

Schau dir die Postkarten an. Wo wohnt Familie Berger?

①  ②

③  ④  ⑤

Zuerst macht Familie Berger eine Schiffsfahrt über den Königssee.

☆ **A9** *Was kann man da sehen? Erzähle.*

„Vorn sieht man ..."

hinten links	hinten in der Mitte	hinten rechts
in der Mitte links	in der Mitte	in der Mitte rechts
vorn(e) links	vorn(e) in der Mitte	vorn(e) rechts

der Watzmann (2713 m hoch)

die Kirche „Sankt Bartholomä" (850 Jahre alt)

der Königssee (192 m tief; 7,75 km lang; 1,2 km breit)

Frau Berger denkt an alles

Am Donnerstag wollen Bergers einen Ausflug machen. Sie wollen durch den Zauberwald wandern und auf einen Berg steigen. Frau Berger will an alles denken. Sie will nichts vergessen.

Frau Berger packt einen Regenschirm, Anoraks und Mäntel ein. Die brauchen sie, wenn es regnet. Frau Berger packt Badezeug und T-Shirts ein. Die brauchen sie, wenn es heiß ist. Frau Berger packt Käsebrote und Wurstbrote ein. Dann können sie essen, wenn sie hungrig sind. Frau Berger packt Saft und Tee ein. Dann können sie trinken, wenn sie durstig sind. Frau Berger packt eine Taschenlampe ein. Sie brauchen Licht, wenn es früh dunkel wird. Frau Berger packt auch Pflaster ein. Das brauchen sie, wenn sie stolpern und hinfallen. Frau Berger packt einen Ball ein. Den brauchen sie, wenn sie spielen wollen.

Dann gehen sie los. Herr Berger trägt eine Tasche. Sabine trägt eine Tasche. Wolfgang trägt eine Tasche, und Frau Berger trägt auch eine Tasche. Alle gehen ganz langsam, die Taschen sind so schwer! Alle schwitzen. Die Sonne scheint, und es ist heiß. Sie wandern und wandern. Sie schwitzen und schwitzen. Da sehen sie Kühe. Wolfgang und Sabine werfen ihre Taschen weg und rennen hin. Plötzlich stolpert Wolfgang und fällt in einen Kuhfladen. Er ist von oben bis unten schmutzig. „Ich brauche Wasser", schreit Wolfgang, „ich will mich waschen!" „Man kann ja nicht an alles denken", sagt Frau Berger. Alle nehmen ihre Taschen und gehen in die Pension zurück.

(Nach dem Text: „Die Geschichte von der Mutter, die an alles denken wollte" von Ursula Wölfel)

A10 Frau Berger denkt an alles:

> Wenn es regnet, haben sie einen Regenschirm.
> Wenn es heiß ist, ...
> Wenn sie hungrig sind, ...
> Wenn sie durstig sind, ...
> Wenn es früh dunkel wird, ...
> Wenn sie hinfallen, ...
> Wenn sie spielen wollen, ...

Erzähle.

Am Freitagmorgen beim Frühstück

Heute wandern wir noch einmal durch den Zauberwald.

Wir brauchen heute keinen Regenschirm, keine Anoraks und keine Mäntel.

Es regnet heute nicht. Die Taschen bleiben hier.

Wir brauchen . . . .

Es . . . .

☆ **A11** *Setzt den Dialog nach den Sätzen in A10 fort.*

Das ist ganz richtig, Kinder.
Wir brauchen heute keine Taschen. Wir brauchen nur gute Laune.

AB, S. 110

Eine Wanderung ist lustig

Melodie: traditionell

Bearbeitung: J. Schöntges

Ei-ne Wan-de-rung ist lu-stig, ei-ne Wan-de-rung ist schön, ja da kann man Va-ter, Mut-ter und die Kin-der wan-dern seh'n. Hol-la-

hi, hol-la-ho, hol-la-hi-a-hi-a-hi-a, hol-la-hi-a, hol-la-ho. Hol-la-

hi, hol-la-ho, hol-la-hi-a-hi-a-hi-a, hol-la-ho.

Singt das Lied weiter mit: schwitzen – tragen – klettern – stolpern

Personal-pronomen	maskulin Singular		feminin Singular		neutral Singular		Plural	
	Nominativ		Nominativ		Nominativ		Nominativ	
ich	mein	Mantel	meine	Jacke	mein	Hemd	meine	Schuhe
du	dein	Mantel	deine	Jacke	dein	Hemd	deine	Schuhe
er	sein	Mantel	seine	Jacke	sein	Hemd	seine	Schuhe
sie	ihr	Mantel	ihre	Jacke	ihr	Hemd	ihre	Schuhe
es	sein	Mantel	seine	Jacke	sein	Hemd	seine	Schuhe
wir	unser	Mantel	unsere	Jacke	unser	Hemd	unsere	Schuhe
ihr	euer	Mantel	eure	Jacke	euer	Hemd	eure	Schuhe
Sie	Ihr	Mantel	Ihre	Jacke	Ihr	Hemd	Ihre	Schuhe
sie	ihr	Mantel	ihre	Jacke	ihr	Hemd	ihre	Schuhe
	Akkusativ		Akkusativ		Akkusativ		Akkusativ	
1. Person Sg.	meinen	Mantel	meine	Jacke	mein	Hemd	meine	Schuhe
2. Person Sg.	deinen	Mantel	deine	Jacke	dein	Hemd	deine	Schuhe
3. Person Sg.	seinen	Mantel	seine	Jacke	sein	Hemd	seine	Schuhe
	ihren	Mantel	ihre	Jacke	ihr	Hemd	ihre	Schuhe
	seinen	Mantel	seine	Jacke	sein	Hemd	seine	Schuhe
1. Person Pl.	unseren	Mantel	unsere	Jacke	unser	Hemd	unsere	Schuhe
2. Person Pl.	euren	Mantel	eure	Jacke	euer	Hemd	eure	Schuhe
3. Person Pl.	Ihren	Mantel	Ihre	Jacke	Ihr	Hemd	Ihre	Schuhe
	ihren	Mantel	ihre	Jacke	ihr	Hemd	ihre	Schuhe

Wähle aus, was man braucht.

1. Es ist kalt.

Ich brauche meine Jacke. Du brauchst __ Pullover.
　Da ist meine Jacke. Da ist __ Pullover.
Er braucht __ Mantel. Sie braucht __ Hose.
　Da ist __ Mantel. Da ist __ Hose.

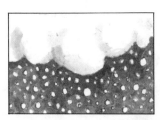

2. Es schneit.

Wir brauchen unsere Mützen. Ihr braucht __ Schals.
　Da sind unsere Mützen. Da sind __ Schals.
Sie brauchen __ Stiefel. Wir brauchen __ Strümpfe.
　Da sind __ Stiefel. Da sind __ Strümpfe.

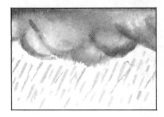

3. Es regnet.

Ich brauche __ Regenschirm. Du brauchst __ Hut.
　Da ist __ Regenschirm. Da ist __ Hut.
Das Mädchen braucht __ Anorak. Es braucht __ Mütze.
　Da ist __ Anorak. Da ist __ Mütze.

Alphabetische Wortliste

Diese Liste enthält alle Wörter, die im *Lehrbuch „Das Deutschmobil 1"* vorkommen, und gibt an, in welcher Lektion sie zum erstenmal auftreten. Wörter, die die Schüler aktiv beherrschen sollen, stehen in den Wortlisten zu jeder Lektion im *Arbeitsbuch*.

A
Abendessen, das 8
abends 5
aber 3
abfahren 10
abräumen 8
absetzen 9
abwaschen 8
Adler, der 6
Affe, der 6
Afrika,- 6
alle 4
allein 8
alles 7
also 2
alt 3
am 4
Amerika,- 6
ändern 7
anders 7
Angst, die 9
ankommen 10
anmachen 7
Anorak, der 10
anrufen 5
Antwort, die 6
antworten 5
anziehen 10
Apfel, der 8
Appetit, der 9
April, der 5
Arbeit, die 7
arbeiten 5
Arm, der 9
Artist, der 7
Arzt, der 8
Ärztin, die 9
Asien,- 6
aua! 1
auch 2
auf 7
auf (Wiedersehen!) 1
aufdrehen 6
aufessen 8
aufgeben 7
aufmachen 7
aufpassen 7
aufräumen 5
aufstehen 5
Auge, das 9
August, der 5
aus 6
Ausflug, der 10
ausmachen 7
aussehen 7
austrinken 8
ausziehen 9
Auto, das 5

B
backen 4
Badeanzug, der 10
Badehose, die 10
Badewanne, die 3
bald 9
Balkon, der 10
Ball, der 7
Bär, der 6
basteln 2
Bastelzeug, das 4
Bauch, der 8
bauen 2
Baum, der 6
Baumhaus, das 9
Becher, der 8
bedienen 8
beginnen 5
bei 7
Bein, das 6
beobachten 6

Berg, der 10
Bericht, der 7
Besen, der 6
besuchen 5
Bett, das 3
billig 5
Biologie, die 4
bis 6
bißchen 8
bitte 7
blau 6
bleiben 3
Bleistift, der 4
Block, der 4
blöd 4
Blume, die 4
brauchen 8
braun 6
breit 6
Brief, der 3
bringen 8
Brot, das 4
Brötchen, das 8
Bruder, der 3
Brust, die 9
Buch, das 4
Burg, die 5
Büro, das 5
Butter, die 8

C
Clown, der 7

D
da 3
danach 5
Dänemark,- 7
danke 1
dann 4
das 2
dauern 10
dasselbe 7
dazu 5
decken 8
dein- 3
denken 10
denn 7
der 2
Deutsch 4
Deutschland 7
Dezember, der 5
Diät, die 9
dich 8
dick 4
die 2
Dienstag, der 4
dienstags 6
dir 8
Direktor, der 7
doch 3
Doktor, der 9
Dompteur, der 7
Donnerstag, der 4
donnerstags 6
doof 4
dort 7
Drache, der 7
Drachen, der 5
Drakula,- 8
drehen 7
du 1
dumm 7
dunkel 10
dünn 4
durch 7
durch (8 : 2) 4
durchnehmen 7
dürfen 9
durstig 10
duschen 5

E
eckig 4
Ei, das 8
Eimer, der 6
ein 3
einkaufen 5
Einladung, die 5
einpacken 10
Eis, das 5
Eisenbahn, die 5
Eisvogel, der 6
Elefant, der 6
Eltern (Pl.), die 8
Englisch 4
entschuldigen 7
er 2
Erdkunde, die 4
erklären 7
erst 5
erzählen 7
es 3
Esel, der 2
Essen, das 5
essen 5
etwa 5
etwas 7
euch 8
euer- 10
Europa,- 6

F
fahren 7
Fahrrad, das 3
Fahrt, die 10
fallen 7
falsch 2
falten 7
Familie, die 3
fauchen 6
Februar, der 5
Federtasche, die 4
fehlen 9
feiern 5
Ferien (Pl.), die 5
fernsehen 5
festhalten 7
Fieber, das 9
Filzstift, der 4
finden 4
Finger, der 9
Fisch, der 6
Flamingo, der 6
Flasche, die 8
Fleisch, das 6
fliegen 2
Flugzeug, das 5
fragen 5
Frankreich 7
Frau, die 3
Freitag, der 4
freitags 6
Freund, der 7
Freundin, die 9
früh 10
Frühling, der 5
Frühstück, das 8
frühstücken 5
fühlen 9
füllen 7
Füller, der 4
für 8
Fuß, der 9
Fußball, der 5
Fütterung, die 6

G
ganz 4
gar (nicht) 6
Garten, der 10
Gast, der 8

geben 8
Geburtstag, der 5
gefährlich 6
gehen 5
gehören 7
geht (wie geht's?) 1
gelb 6
Geld, das 8
genug 8
gern 2
Gericht, das 8
gern 2
Geschichte, die 4
Geschirr, das 8
Geschwister (Pl.), die 8
gesund 9
gibt (es ...?) 5
gießen 4
Gießkanne, die 5
giftig 7
Giraffe, die 6
Glas, das 7
gleich 9
Glückwunsch, der 5
grau 6
groß 4
Großeltern (Pl.), die 8
Großmutter, die 3
Großvater, der 3
grün 6
Gruß, der 3
Gürtel, der 10
gut(en Tag!) 1

H
haben 4
halb 5
hallo! 1
Hals, der 9
halten 7
Hand, die 7
Hauptgericht, das 8
Haus, das 3
Hausaufgaben (Pl.), die 4
heben 7
Heft, das 4
heiß 10
heißen 3
helfen 7
Hemd, das 9
Henne, die 3
Herbst, der 5
Herd, der 5
Herr, der 5
herzlich 5
heute 6
Hexe, die 4
Hexen-Einmaleins, das 4
hier 3
Hilfe, die 8
hinfallen 9
hinten 10
hinter 7
hoch 7
hochheben 6
Honig, der 8
hören 5
Hose, die 10
Hund, der 3
Hunger, der 8
hungrig 8
Hut, der 9

I
ich 1
Idee, die 5
ihm 8
ihn 8
ihnen 8
ihr 5
ihr- 10

im (April) 5
immer 7
in (Berlin) 3
Indien,- 6
Italien,- 7

J
ja 1
Jacke, die 9
jagen 6
Jahr, das 3
Januar, der 5
Jeans, die 10
jeder 4
jetzt 5
Joghurt, der/das 8
Juli, der 5
Junge, der 3
Juni, der 5

K
Kaffee, der 8
Käfig, der 7
Kakao, der 8
Kalender, der 5
kalt 10
Kamel, das 6
Känguruh, das 6
kapieren 7
kaputt 7
Karneval, der 5
Kartoffel, die 8
Käse, der 8
Kassette, die 9
kaufen 4
kein 3
keiner 9
Keks, der, das 8
Kellner, der 8
kennen 5
Kilo (kg), das 6
Kind, das 3
Kinder (Pl.) 1
Kirche, die 10
Kiste, die 6
Klebstoff, der 4
Kleid, das 10
klein 4
klettern 2
Koch, der 8
Kochbuch, das 8
kochen 4
Koffer, der 10
komisch 8
kommen 4
Kommode, die 3
können 7
Kopf, der 9
kosten 5
kräftig 6
krank 9
Krankenhaus, das 9
kriechen 5
Krokodil, das 6
Küche, die 8
Kuchen, der 4
Kuchenform, die 8
Kuh, die 2
Kuhfladen, der 10
Kuli, der 4
Kunst, die 4
kurz 4

L
lachen 5
Lampe, die 3
lang 3
langsam 7
langweilig 9
laufen 6
Laune, die 10
laut 4

legen 7
Lehrer, der 7
Lehrerin, die 7
leicht 4
leider 7
leise 4
Leopard, der 7
lernen 5
lesen 5
Leute (Pl.), die 7
Licht, das 7
lieb(er Willi) 4
lieben 7
Lieblingsfach, das 4
Lied, das 5
liegen 6
Limo, die 5
Limonade, die 8
Lineal, das 4
links 10
Liter, der 8
Löffel, der 8
losgehen 10
Löwe, der 6
Luft, die 7
Lust haben 6
lustig 7

M
machen 2
Mädchen, das 3
Mai, der 5
mal (2 · 3) 4
malen 4
Malkasten, der 4
Malzeug, das 4
man 8
manchmal 7
Mann, der 3
Mantel, der 10
Mark, die 5
Marmelade, die 8
März, der 5
Mathematik, die 4
Maus, die 4
Medizin, die 9
Mehl, das 8
mehr 7
mein- 3
Meter (m), der 6
mich 8
Milch, die 8
minus (10 – 2 = 8) 4
mir 9
mit 5
mitbringen 9
mitkommen 9
mitnehmen 8
Mittagessen, das 8
mittags 5
Mitte, die 10
Mittwoch, der 4
mittwochs 6
Mixer, der 9
Mobil, das 5
möcht- (mögen) 5
Monat, der 5
Mond, der 8
Monster, das 8
Montag, der 4
montags 6
morgen 7
morgens 5
müde 8
Mund, der 9
Musik, die 4
Musikinstrument, das 7
müssen 9
Mutter, die 3
Mütze, die 10

Quellennachweis: Abbildungen

Seite 20: 9 Fotos: Familie Grune, Eisenhüttenstadt. 2 Fotos: G. Häublein. 1 Foto: Verlagsarchiv. / **Seite 65:** Tabelle: Aus: Harry Garms, Lebendige Welt-Gesamtband Lehrerausgabe, Westermann Schulbuchverlag, Braunschweig 1967. / **Seite 70:** Fotos: „Bei den Elefanten", von Michael Seifert. Aus: Spielen und Lernen Nr. 8/87. / **Seite 85:** Kinderinterviews von Lila Hess. Aus: Frankfurter Rundschau Nr. 228/1983. / **Seite 100/101:** Fotos von Mathia Turoges. Aus: Treff, Okt. 88. / **Seite 114/115:** Fotos von Axel Fischer. Aus: Spielen und Lernen 11/87. / **Seite 116:** Baumhaus: © Krakow Konzept GmbH. **Seite 121:** Karte: Kartographie Oberländer, München. / **Seite 123:** Nr. 1: Haus München. Nr. 2: Haus am Forst. Nr. 3: Haus Steineck. Nr. 4: Haus Alpenblume. Nr. 5: Haus Alpenstern. Alle aus GGV Schönau am Königssee. Foto Sankt Bartholomä von: Foto Baumann-Schicht, Bad Reichenhall. Alle anderen Fotos: Andreas Douvitsas und Sigrid Xanthos-Kretzschmer.

Quellennachweis: Texte

Seite 33: Jeder singt so gut er kann. Aus: Steindl, Michael/Gertrud Wimmer u. a.: Bilinguale Materialien für den Unterricht mit Ausländerkindern. Mathematik 2: Ordinalzahlen, S. 2. Herausgegeben vom FWU Institut für Film und Bild in Wissenschaft und Unterricht. Grünwald 1982. / **Seite 55:** Das Spielmobil: Nach dem Text: „Die Geschichte von der Dreh-Hops-Wipp-Tute-Maschine" von Ursula Wölfel © Hoch Verlag. / **Seite 100/101:** Das erste Kinderrestaurant. Aus: Treff, Okt. 88. / **Seite 124:** Frau Berger denkt an alles: Nach dem Text: „Die Geschichte von der Mutter, die an alles denken wollte" von Ursula Wölfel © Hoch Verlag.